C000125618

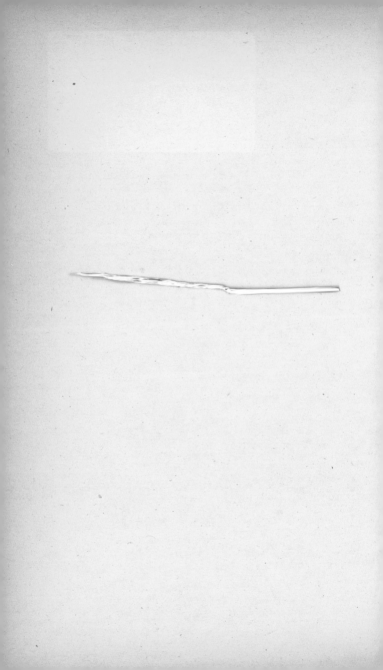

Jean Anouilh

Ardèle
ou la Marguerite

SUIVI DE

La valse des toréadors

La Table Ronde

Le général a convoqué d'urgence au château un conseil de famille afin de décider des mesures à prendre pour éviter le scandale : sa sœur Ardèle est tombée amoureuse du précepteur du jeune Toto. En attendant, il l'enferme à clef.

Comme le lui fera remarquer son beau-frère, cela constitue une séquestration arbitraire, Ardèle étant majeure et fortunée. Pourquoi s'opposer avec tant d'énergie à ce qu'elle effeuille la marguerite? Pourquoi se scandaliser parce qu'elle déclare aimer, elle qui est bossue et quadragénaire? Pourquoi tous sauf son neveu Nicolas tentent-ils de la persuader de renoncer à ce bonheur tardif comme si l'amour ne pouvait être que le privilège de la beauté?

Qui sont-ils donc, ces censeurs sévères? Du ménage à trois au général coureur de jupons, Jean Anouilh n'épargne aucun des protagonistes d'Ardèle, pièce grinçante où tout crie la nostalgie de l'amour vrai... un amour qui n'existe pas.

Ou qui, s'il existe, ne résiste pas à l'usure de la vie : Anouilh le pessimiste le démontre dans La Valse des Toréadors, qui met en scène le même général et sa femme au temps où elle n'était pas encore folle mais lui était déjà lâche, au temps où il espérait échapper à son amour possessif pour épouser la patiente Mlle de Sainte-Euverte... et n'osa pas.

Ardèle
ou la Marguerite

PERSONNAGES

LE GÉNÉRAL.

LA GÉNÉRALE.

LE COMTE, *beau-frère du général.*

LA COMTESSE, *sa sœur.*

VILLARDIEU, *amant de la comtesse.*

NICOLAS, *fils cadet du général.*

NATHALIE, *sa bru.* DAUGHTER-IN-LAW

TOTO, *fils benjamin du général, dix ans.*

MARIE-CHRISTINE, *fille de la comtesse, même âge.*

ADA, *femme de chambre, maîtresse du général.*

ARDÈLE, *sœur du général (personnage invisible).*

LE BOSSU, *personnage muet.*

Le hall du château.

Deux escaliers montent à une galerie faisant le tour de la pièce où s'ouvrent beaucoup de portes.

C'est le matin. La scène est vide; on entend une voix aiguë qui appelle : « Léon! Léon! »

Le général surgit d'une porte sur la galerie, en robe de chambre rouge, très général Dourakine. Il crie, se précipitant vers une autre porte :

LE GÉNÉRAL

Voilà, mon amie! *(Il parle à quelqu'un d'invisible par la porte entrouverte.)* Non, ma colombe, non, mon ange. Je m'étais absenté une minute, mais j'étais là, dans mon bureau. Je travaillais. Cette nuit? Non. Je ne vous ai pas laissée cette nuit. Je me suis levé, c'est exact, pour prendre l'air, mais quelques instants : toujours mes étouffements. Plus d'une heure? Non, m'amie, quelques instants seulement... Mais dans le demi-sommeil on perd la notion de la durée : je vous l'ai mille fois expliqué. Reposez-vous, m'amie... Il est très tôt encore et je m'occupe de tout préparer pour recevoir nos hôtes. Oui, mon cher amour, à tout à l'heure. *(Il repousse la porte, retourne à celle d'où il est sorti, l'ouvre. Sur le seuil : la femme de chambre. Il l'embrasse goulûment.)* Grenache. Grounière. Goulune. Guenon. Pêche. Gros gâteau doré. Brioche. Oh! c'est bon! c'est bon! Tu sens le pain chaud du matin.

ADA, *impassible, tandis que le général a le nez dans son cou et son corsage.*

Le petit déjeuner de Monsieur est servi dans son bureau.

LE GÉNÉRAL *la caresse.*

Chaude et vivante, bien ferme sur tes deux colonnes jointes. Le monde existe donc ce matin encore. Tout va bien. On n'est pas seul. Et tu t'en moques, imbécile, et tu attends tout simplement que j'aie fini. C'est bon aussi. Tout à l'heure, quand tu feras la chambre du petit, tu mettras les draps à la fenêtre. Je monterai. Je t'ai acheté ce que tu voulais. *(Une porte s'est ouverte sur la galerie. Nathalie paraît. Le général lâche la femme de chambre qui est restée impassible; il lui jette à mi-voix :)* File!

Elle disparaît dans une autre chambre, passant devant Nathalie sans un regard. Nathalie et le général restent un moment immobiles.

LE GÉNÉRAL *demande enfin d'une voix un peu cassée.*

Je vous dégoûte, Nathalie?

NATHALIE, *doucement.*

Oui.

Elle va descendre. Le général hésite un peu, puis il la rejoint sur l'escalier, il l'arrête.

LE GÉNÉRAL

Vous avez vingt ans, Nathalie, vous êtes l'intransigeance et la pureté et je suis un vieux misérable.

NATHALIE

Oui.

LE GÉNÉRAL

Quand vous avez épousé mon fils, cela a été comme si une fenêtre s'ouvrait dans cette grande maison triste. Le premier soir où vous avez rouvert le piano muet du grand salon, vous étiez si jeune et si belle que j'ai cru que j'accepterais — pour vous — de devenir vieux. Le général blanchi aux récits de bataille, le protecteur désuet et attendri d'une petite bru candide. C'était un beau personnage à jouer pour en finir... J'avais tout pour le réussir : les souvenirs glorieux, la belle barbe de neige, mon vieux cœur de jeune homme tout neuf sous ma brochette de ferblanterie... Qu'il a été beau le premier dimanche à la messe avec vous en robe claire à mon bras! J'ai demandé à Dieu ce jour-là de ne jamais mériter votre mépris. Mais c'était un dimanche. Il devait être très occupé. Il n'a pas dû m'entendre.

NATHALIE

Sans doute pas.

LE GÉNÉRAL

Vous pensez que j'aurais dû l'aider? On a toujours tendance à laisser Dieu faire tout, tout seul... Je n'ai pas pu. L'expérience m'a malheureusement appris que je pouvais rarement ce que je voulais de bon.

NATHALIE

Pourquoi vous justifier toujours à moi ? Je ne suis que la femme de votre fils et vous êtes libre.

On entend appeler soudain là-haut : « Léon ! Léon ! »

LE GÉNÉRAL *crie.*

Voilà ! *(Et il continue :)* Je suis libre avec cette folle qui m'appelle tous les quarts d'heure de son lit depuis dix ans. La vie est longue et dure et faite de minutes, Nathalie. Vous savez tout, mais vous ne savez pas cela encore. Et pas une à perdre en espoirs ou en regrets.

NATHALIE

C'est d'amour pour vous que votre femme est devenue folle. Je suis bien jeune, c'est vrai, mais je sais déjà le prix de l'amour. Ce grand trésor qu'elle vous a donné, qu'en avez-vous fait ?

LE GÉNÉRAL, *simplement.*

Je l'ai porté. *(Il ajoute plus bas :)* Vous ne savez pas tout, Nathalie. Vous avez épousé mon fils aîné sans amour — ne vous détournez pas, je suis une vieille ganache, mais je vois clair — alors vous rêvez de l'amour comme une petite fille que vous êtes. Il y a l'amour, bien sûr. Et puis il y a la vie, son ennemie. Vous avez pu remarquer que les pauvres, qui se plaignent toujours, ont finalement moins de tracas pour gratter leurs quatre sous que les grands propriétaires. On est de toute façon si seul qu'en fin de compte, je me demande si on ne gagne pas à ne pas être aimé.

On entend encore, plus loin semble-t-il : « Léon ! Léon ! »

LE GÉNÉRAL *répond au regard de Nathalie.*

Non. Cette fois, c'est le paon du parc qui appelle sa femelle. Un curieux destin a voulu que tout ce qui est inquiet dans ce château crie mon nom. Mais l'inquiétude du paon, elle, ne dure qu'une saison. L'été passera et moi, on m'appellera encore — jusqu'à ce que l'un de nous deux renonce et meure. Rêvez, Nathalie, c'est de votre âge. Mais voilà ce que c'est votre amour : ce cri perçant tous les quarts d'heure, pour contrôler ma présence. Il faut que le goût de la liberté soit durement chevillé au cœur des hommes. *(On entend appeler encore :* « Léon! Léon! » *)* C'est encore le paon.

NATHALIE

Montez tout de même.

LE GÉNÉRAL

Voilà dix ans que je monte toujours. Je suis lucide, mais dévoué. Ne me jugez pas trop, Nathalie, pour cette fille. Elle est ma liberté. Il y a quelque courage aussi et quelque grandeur à être ignoble.

NATHALIE

Je n'ai pas à vous juger.

LE GÉNÉRAL

C'est pourtant entre vous et moi que tout se décide. Dieu sait pourquoi! *(On entend encore :* « Léon! Léon! » *)* Cette fois, c'est elle. Son cri est légèrement plus perçant que celui du paon. *(Il monte.)* Mais vous avez eu beau venir ici pour mon tourment, me regarder sans rien dire, je suis plus fort que vous. Je ne dis pas que vous ne m'aurez

pas un jour, mais, avant que ces petites étoiles sur
ma manche me protègent, j'ai appris, dans mes
trente-deux campagnes d'officier de troupe, à me
battre jusqu'au bout. Et après tout, vous êtes
terrible, mais vous n'êtes pas plus redoutable qu'un
bataillon complet d'Arabes persuadés qu'Allah les
attend. Une belle lutte tout de même entre un
vieillard libertin et une jeune femme muette... *(Il
rit un peu et lui crie du haut de la rampe :)* Nathalie!
C'est entendu, ma femme est un ange qui meurt
d'amour pour moi et je la trompe. C'est entendu, je
l'ai follement aimée, moi aussi. Mais les anges
vieillissent, et un matin, on se réveille tout surpris
avec une vieille tête d'ange en papillotes à côté de
soi sur l'oreiller. Si Dieu avait voulu que l'amour
soit éternel, je suis sûr qu'il se serait arrangé pour
que les conditions du désir demeurent. En faisant
ce que je fais, j'ai conscience d'obéir obscurément à
ses desseins. *(On entend encore : « Léon! Léon! » Le
général entre dans la chambre en disant calmement :)*
Me voilà, mon amour. Je parlais à Nathalie.

> *Nathalie reste une seconde immobile, puis elle
> traverse le hall et sort par le jardin. La femme
> de chambre paraît à une porte, encombrée de ses
> chiffons et de ses balais. Une autre porte s'ouvre
> et Toto se précipite sur elle. Il l'enlace en
> glapissant.*

TOTO

Grenache! Grounière! Goulune! Guenon!
Pêche! Gros gâteau doré! Brioche!

LA FEMME DE CHAMBRE *se débat.*

Monsieur Toto! Monsieur Toto! Je vous
défends! Je vais le dire à votre père!

TOTO

Va lui dire et il me donnera cent sous pour que je me taise, idiote! Tout à l'heure, tu mettras mes draps à la fenêtre, c'est le signal, et vous viendrez faire des saletés sur mon lit. Grenache! Goulune! Guenon! C'est comme ça qu'il fait, dis? Oh! c'est bon! c'est bon!

LA FEMME DE CHAMBRE *crie.*

Monsieur Toto! C'est honteux! Lâchez-moi! *(Elle le gifle.)* Petit cochon!

TOTO *la regarde et lui répond,*
les mains dans ses poches, avec sa haine tranquille.

Il faut le temps de grandir. *(Il lui tend le poing soudain comme un gosse de dix ans qu'il est, et lui crie :)* Attends un peu que la maison soit à moi! Attends un peu que je sois grand, attends un peu que j'en aie vraiment envie! *(La femme de chambre hausse les épaules et entre dans la chambre. Toto crache avec mépris, puis il enjambe la rampe et la descend d'un coup sur son fond de culotte. Arrivé en bas, il clame théâtral :)* Toto! Je vous défends de descendre sur la rampe. Vous usez vos fonds de culotte et c'est dangereux!

Il sort alors vers l'office, braillant La Marseillaise *et jetant des coups de pied aux meubles au passage.*

LE GÉNÉRAL *ouvre la porte*
et paraît sur la galerie. Il crie.

Toto! Assez!

TOTO, *indigné.*

Comment? assez? C'est *La Marseillaise!*

LE GÉNÉRAL, *vaincu.*

C'est bon!

> *Il rentre, claquant la porte. Toto sort, ivre de*
> *mépris, donnant un coup de pied à un meuble*
> *innocent. La scène reste vide un instant, puis*
> *entrent le comte, la comtesse et Villardieu en*
> *costumes d'automobilistes. Voiles verts, lunettes*
> *noires, peaux de bique. Rien ne doit permettre de*
> *distinguer le comte de Villardieu. Mêmes mous-*
> *taches, même col trop haut, même monocle,*
> *même cul de singe derrière la tête, même*
> *distinction et sans doute même club. Peut-être,*
> *seule, la couleur de leurs pieds-de-poule diffère-*
> *t-elle : mais c'est une nuance.*

LA COMTESSE

Personne. Cette maison a toujours été déplo-
rablement tenue.

LE COMTE

Depuis la maladie de votre belle-sœur, ma chère,
avouez que c'est assez compréhensible.

LA COMTESSE

Avant la maladie d'Amélie, c'était pareil. La
pauvre femme passait son temps à couver amou-
reusement mon frère des yeux, et les domestiques
avaient déjà la bride sur le cou. Débarrassez-vous,
Villardieu. Je suis brisée. Je suis sûre que vous
nous avez fait faire du soixante.

VILLARDIEU

Du soixante-cinq.

LA COMTESSE

Imprudent.

VILLARDIEU, *qui émerge de ses lunettes*
et de ses peaux de bique.

Je vous avoue que j'ai quelques scrupules de
m'être laissé imposer par vous ici. S'il s'agit d'une
affaire de famille comme le laissait pressentir le
général dans son télégramme, ma présence...

LE COMTE, *sans une trace d'amertume.*

Vous faites partie de la famille, Villardieu.

LA COMTESSE

Mon ami, je vous en supplie, il est encore très
bonne heure, évitez-nous les mots d'esprit. Et vous,
Villardieu, pour l'amour du Ciel, ne prenez pas la
mouche pour rien. *(Au Comte.)* Gaston, essayez
plutôt de trouver quelqu'un. Cette idée de nous
mettre en route en sortant du casino était follement
drôle à quatre heures : le petit matin a toujours
quelque chose d'héroïque. Maintenant qu'il en est
onze, nous allons nous apercevoir tout bonnement
que nous n'avons pas dormi. Je dois avoir cent ans.

LE COMTE, *galamment.*

Une rose! *(Villardieu lui jette un regard noir, il se*
retourne vers lui.) Je vous demande pardon, mon
cher. Vous alliez le dire peut-être *(Il se lève.)* Je
vais voir si nos chambres sont prêtes. *(Il s'arrête.)*
Je pense que le général, dans sa simplicité de vieux
militaire, nous aura fait préparer, pour Liliane et
pour moi, une chambre commune. Je m'en excuse
d'avance, Villardieu.

Il s'incline gracieusement et sort.

VILLARDIEU

Vous avez entendu?

LA COMTESSE

Il est odieux.

VILLARDIEU

Je trouve surtout qu'il manque de tact. Ce n'est que votre mari après tout.

LA COMTESSE

Il est nerveux, car je crois qu'il a du dépit avec sa petite couturière. C'est une créature que j'aimerais bien connaître. Il paraît que c'est une guenon.

VILLARDIEU

Qui vous l'a dit?

LA COMTESSE

Aïssa les a surpris prenant le thé aux Roches Noires. C'est une fille qui ne sait pas manger une meringue! Elle s'était trompée de fourchette. Gaston a vu qu'Aïssa l'avait vu, il a rougi comme une écrevisse. Je ne suis pas méchante, mais je souhaite qu'il souffre.

VILLARDIEU

Pourquoi prendre tant d'intérêt à ce qu'il fait?

LA COMTESSE

Elle est jeune, peut-être bien faite. Pensez-vous qu'il l'aime d'amour?

VILLARDIEU

C'est une question dépourvue de tout intérêt pour moi.

LA COMTESSE

En tout cas, elle est poitrinaire. Aïssa m'a dit qu'elle toussait. C'est une petite brune vulgaire. De grands yeux, paraît-il, mais elle louche.

VILLARDIEU

Tant pis!

LA COMTESSE

Enfin, Hector, votre indifférence est une pose! L'anglomanie, c'était bon il y a dix ans. Vous retardez. Vous n'allez pas me faire croire qu'il vous est indifférent que le mari de votre maîtresse s'affiche partout avec un pou.

VILLARDIEU

J'aurais aimé en tout cas que cela vous fût — à vous — indifférent. En vérité, Liliane, je me demande parfois si vous n'aimez pas encore cet homme. Hier soir, au baccara, vous n'avez cessé de lui sourire.

LA COMTESSE

Il perdait à chaque main. Je me moquais de lui.

VILLARDIEU

Je ne suis pas aveugle. Il y avait dans vos sourires une nuance de compassion. Il y a des choses que je ne tolérerai pas.

LA COMTESSE

Mon ami, je suis trop fatiguée ce matin pour une scène.

VILLARDIEU

Mille diables! que signifie cette jalousie, Liliane?

Cet intérêt affiché pour cet homme! Si au moins
vous mettiez un peu de pudeur à dissimuler. Mais
je ne suis pas le seul à m'en apercevoir. Avant-hier,
chez les Pontadour, vous avez dansé deux fois avec
lui. C'est inconvenant, à la fin! De quoi ai-je l'air?
A un moment, vous lui avez pris la main, devant
tout le monde.

LA COMTESSE

En riant, comme j'aurais pris la main de n'importe qui.

VILLARDIEU

Il y a des gestes qu'une honnête femme ne se
permet pas. Même en riant. Ce n'est pas parce que
cet homme est votre mari. J'ai les idées larges, mais
il y a des choses que je ne tolérerai pas!

LA COMTESSE

Vous placez votre vanité avant tout.

VILLARDIEU

Dites mon honneur, si vous voulez bien. Notre
liaison est officielle, vous le savez. *(Il ajoute :)* Et
puis je souffre.

*Il fait les cent pas nerveusement en parlant;
la comtesse lui dit simplement :*

LA COMTESSE

Votre façon de souffrir me donne le vertige.
Asseyez-vous.

VILLARDIEU *s'assied.*

Si vous continuez ainsi avec cet homme, vous me
pousserez à un geste de désespoir. En vérité, tout à

l'heure sur la route, j'ai eu la tentation de monter
jusqu'à soixante-dix, pour en finir, une bonne fois.

LA COMTESSE

Qu'est-ce qui se passe à soixante-dix?

VILLARDIEU, *sombre.*

Le moteur est fou. On n'est plus maître de son
engin.

LA COMTESSE

Avez-vous pensé à Marie-Christine, Hector?
Vous savez pourtant bien que, si je n'ai pas voulu
vous suivre à Venise, si j'ai exigé que la vie
continue avec le comte, c'est pour que ma fille ne se
doute jamais de rien. Me reprocherez-vous aussi
d'être une mère, Villardieu?

VILLARDIEU

J'ai tout accepté pour votre enfant, Liliane. Nos
rencontres espacées, cette odieuse comédie de notre
vie à trois. Je vous demande seulement de vous
tenir convenablement.

> *Entre le comte avec Nathalie qui porte un
> bouquet de fleurs des champs.*

LE COMTE

Cette maison est frappée d'enchantement. Je n'ai
rencontré qu'une fée, dans le jardin, mais elle dit
qu'elle a le pouvoir de faire ouvrir des chambres.

NATHALIE

Bonjour, Liliane. Je m'excuse. Personne n'avait
entendu la voiture.

LE COMTE

Elle fait pourtant assez de bruit.

VILLARDIEU *lui jette un regard noir.*

C'est le dernier modèle de Dion. Quarante chevaux. Qu'est-ce que vous voulez qu'ils fassent à eux tous? De la musique?

LE COMTE

Villardieu, une fois encore, je n'ai pas cherché à vous offenser. D'ailleurs, personnellement, moi, j'adore le bruit. Je trouve cela gai.

LA COMTESSE, *qui embrasse Nathalie.*

Nathalie! Cela fait plaisir de vous revoir. Comme vous avez bonne mine. Les nouvelles de votre mari?

NATHALIE

Excellentes. Il est au fond du Tonkin.

LE COMTE, *à Villardieu.*

Voilà un homme qui sait vivre.

LA COMTESSE *présente.*

Le baron de Villardieu, un de nos bons amis.

LE COMTE

Notre meilleur ami. (*A Villardieu qui le regarde :*) Je ne ris pas.

NATHALIE *regarde Villardieu et demande.*

Marie-Christine n'est pas avec vous?

LA COMTESSE

Nous sommes partis à quatre heures en sortant
du casino. Elle a pris le train de sept heures avec sa
gouvernante.

NATHALIE

Je monte dire que vous êtes là.

LA COMTESSE, *pendant qu'elle monte.*

Elle est charmante, n'est-ce pas? Mon neveu, son
mari, est une brute et un coureur. Elle l'a épousé
sur un coup de tête, sans amour. Je me suis
toujours demandé pourquoi.

LE COMTE

Quoi qu'il en soit, ce détail leur facilitera
beaucoup la vie par la suite.

VILLARDIEU

Mon cher comte, notre situation à tous deux est
délicate. Ne l'oubliez jamais.

LE COMTE

Je n'aurais garde.

VILLARDIEU

Vous avez eu un mot malheureux tout à l'heure.

LE COMTE

Mais sacrebleu, Villardieu, si vous n'étiez pas
mon meilleur ami, comment expliqueriez-vous que
nous ne nous quittions pas d'une semelle?

LA COMTESSE

Gaston, je vous défends encore une fois de
plaisanter avec des choses aussi graves!

LE COMTE

Que voulez-vous que je fasse? Que je souffre?

LA COMTESSE

Je sais que vous êtes incapable de souffrir. Mais ayez la décence de feindre, au moins, par galanterie, ce que vous ne ressentez pas.

LE COMTE

Nous naviguons tous trois dans des sentiments si embrouillés, ma chère, que si nous devons feindre, par surcroît, ceux que nous ne ressentons pas, nous risquons sérieusement de nous y perdre.

LA COMTESSE

Ne faites pas d'esprit et tout sera peut-être plus simple.

VILLARDIEU *conclut, sombre.*

En tout cas, il y a des choses que je ne tolérerai pas.

Le général apparaît sur la galerie avec Nathalie.

LE GÉNÉRAL

Liliane, excuse-moi, j'étais avec Amélie; je ne t'attendais pas si tôt.

LA COMTESSE

Nous sommes venus en voiture automobile. Comment va-t-elle?

LE GÉNÉRAL

Toujours pareil. Bonjour, Gaston.

LE COMTE

Bonjour, mon général. Toujours vert !

LE GÉNÉRAL

Comme les vieux arbres. Je refleuris chaque printemps. Je fais illusion, mais le tronc est pourri.

LE COMTE

Vous nous enterrerez tous.

LE GÉNÉRAL

Je l'espère bien, mais dans quel état ? J'aurais voulu vous enterrer jeune homme.

LA COMTESSE

Léon, je te présente notre bon ami Hector de Villardieu qui passe l'été chez nous à Trouville et que je me suis permis d'amener. Mon frère, le général Saintpé.

LE GÉNÉRAL, *un peu surpris*.

Enchanté, monsieur.

VILLARDIEU

Très honoré, mon général. J'ai eu l'honneur de servir comme lieutenant au quatrième spahis.

LE GÉNÉRAL, *rogue*.

Souviens pas.

VILLARDIEU

J'ai été affecté en 98... quelques mois après que vous avez quitté le commandement de l'unité.

LE GÉNÉRAL

Ah! c'est pour cela! Vous avez servi avec Bourdaine?

VILLARDIEU

Oui, mon général.

LE GÉNÉRAL

Vous fais pas mon compliment. Officier supérieur déplorable; petites vues. C'est moi qui l'ai fait saquer. Ah! j'aurais dû rester colonel! C'était le bon temps, le quatrième!... Des hommes, des chevaux, des Arabes pour tirer dessus, et pas de femmes à quatre cents kilomètres! *(A ce moment, on entend appeler : « Léon! Léon! » Il se retourne vers sa sœur et lui demande à mi-voix :)* Pourquoi m'as-tu amené cet animal?

LA COMTESSE

Je te dirai. Elle appelle encore?

LE GÉNÉRAL

Plus que jamais. Je lui dis?

LA COMTESSE, *solennelle.*

Léon, je n'ai rien à cacher à Hector!

LE GÉNÉRAL *la regarde, puis comprend.*

Ah, bon! On m'avait dit que c'était un diplomate cubain. Enfin, à ton âge, on commence à savoir ce qu'on fait.

LA COMTESSE

Merci.

*On entend crier encore là-haut : « Léon!
Léon! »*

VILLARDIEU *s'approche, aimable.*

Vous avez un paon, général?

LE GÉNÉRAL, *simplement*

Non, monsieur. C'est ma femme.

VILLARDIEU, *épouvanté.*

Pardon.

LE GÉNÉRAL

Il paraît qu'on n'a rien à vous cacher. Bon. Moi,
je veux bien. Elle m'appelle comme cela tous les
quarts d'heure. Vous vous y ferez. A ce détail près,
la maison est très agréable. *(La voix appelle encore :
« Léon! Léon! »)* Voilà! *(Il monte en se retournant
vers Villardieu.)* D'ailleurs, je suis ravi de vous
voir. Nous reparlerons du quatrième. Mille tonnerres, c'était le bon temps!

Il va disparaître, la comtesse lui crie :

LA COMTESSE

Mais, Léon, tu oublies l'essentiel! Tu nous as
demandé par télégramme de venir immédiatement
ici. Pourquoi?

LE GÉNÉRAL *lève les bras au ciel sur la galerie.*

Il s'agit d'Ardèle. C'est toute une histoire.
Nathalie, commencez à leur expliquer. Je calme
Amélie et je redescends.

LA COMTESSE

Ardèle est malade? Où est-elle?

LE GÉNÉRAL

Dans sa chambre. Nathalie te dira. *(La voix crie encore :* « *Léon!* » *Le général entre dans la chambre en disant :)* Voilà m'amour. J'étais tout près.

> *Il a disparu. La comtesse se retourne vers Nathalie.*

LA COMTESSE

Eh bien, Nathalie, quel est ce mystère?

NATHALIE, *embarrassée.*

Tante Liliane, il s'agit de tante Ardèle, oui.

LA COMTESSE

Appelez-moi Liliane tout court, Nathalie, je vous en prie. Tante Liliane, c'est grotesque.

NATHALIE

Il s'agit de tante Ardèle, Liliane.

LA COMTESSE, *à Villardieu.*

C'est ma sœur aînée, celle dont je vous ai parlé, vous savez?

VILLARDIEU

Ah! oui, celle qui...

LA COMTESSE *le coupe.*

Oui.

VILLARDIEU, *pour dire quelque chose, soudain.*

C'est bien triste.

LA COMTESSE

Qu'est-ce qui est triste?

VILLARDIEU, *gêné.*

Eh bien!... ça. Vous ne croyez pas qu'il vaut mieux que je sorte?

LA COMTESSE

Vous êtes stupide; asseyez-vous. Vous pouvez parler devant M. de Villardieu, Nathalie, c'est notre meilleur ami.

NATHALIE *hésite encore.*

Eh bien! voilà. *(Elle s'arrête.)* C'est extrêmement gênant. EMBARRASSING

LE COMTE, *qu'on oublie dans son coin.*

Je peux rester?

LA COMTESSE

Vous n'êtes jamais drôle, Gaston; faites des efforts pour n'être pas odieux. Et vous, je vous supplie de parler, Nathalie. S'il est vrai qu'elle n'est pas malade, qu'a-t-il bien pu arriver à ma sœur pour qu'on me convoque ici par dépêche?

SUMMON

NATHALIE

Je suis probablement sotte. Je suis vraiment très gênée... J'aimerais mieux que le général lui-même vous dise...

LE GÉNÉRAL *paraît sur la galerie.*

Ils savent?

LA COMTESSE

Pas encore. Nathalie rougit, hésite. Enfin, Léon, nous venons de faire sept heures d'automobile à tombeau ouvert, j'espère que ce n'est pas pour apprendre que tu nous as fait une plaisanterie? Pour la dernière fois, de quoi s'agit-il?

LE GÉNÉRAL, *solennel*.

D'un conseil de famille!

VILLARDIEU *se lève aussitôt*.

Je peux sortir, mon général.

LA COMTESSE *le fait rasseoir*.

Restez, Hector. Un conseil de famille? Un conseil de famille au sujet d'Ardèle qui est mon aînée de trois ans? Pourquoi diable?

LE GÉNÉRAL

Un conseil de famille restreint. Je n'ai pas voulu convoquer l'arrière-ban pour une affaire aussi pénible et, il faut bien dire le mot, aussi confidentielle. *(Villardieu, à ce mot, regarde la comtesse et fait mine de se lever. Elle le fait rasseoir.)* Mais tu es la sœur d'Ardèle; Gaston, en somme, est mon beau-frère.

LE COMTE

Villardieu est mon ami.

Villardieu le regarde.

LE GÉNÉRAL *continue*.

Nathalie, sa nièce par alliance. J'ai même demandé à Nicolas, qui est un homme maintenant, de venir.

NATHALIE *sursaute soudain à ces mots et crie malgré elle, comme épouvantée.*

Nicolas doit venir? *(Elle reprend plus bas :)* Enfin, pardon. Je ne savais pas que vous lui aviez écrit.

LE GÉNÉRAL

Il refusera probablement. Depuis deux ans qu'il est à Saint-Cyr, il n'a pas accepté de prendre un jour de permission ici. Mais je lui ai tout de même écrit. Il est le neveu d'Ardèle et il peut avoir à souffrir un jour, lui aussi, du scandale. Il est juste qu'il dise son mot.

LA COMTESSE

Du scandale? D'un scandale à propos d'Ardèle? Mais enfin, vas-tu t'expliquer, Léon? Tu as assez parlé par énigmes.

VILLARDIEU *se lève, ferme.*

Je sens que le général hésite. Ma position est fausse. Je préfère sortir.

LA COMTESSE *le fait rasseoir.*

Hector, comprenez une bonne fois qu'on vous demande de rester tranquille et asseyez-vous. Je t'ai déjà dit, Léon, que tu pouvais parler devant M. de Villardieu. Gaston, dites-le-lui aussi, je vous en prie.

LE COMTE

Parlez, général. Villardieu est un autre moi-même. Sans offense, Villardieu.

LE GÉNÉRAL *a un geste.*

Après tout, comme vous voudrez. Je suis un vieux soldat, je n'ai ni le temps ni le goût de jouer à cache-cache. Sait-il qu'elle est bossue?

LA COMTESSE, *avec reproche.*

Léon! Villardieu est un ami très intime et je lui

ai déjà expliqué que ma sœur aînée était en effet
légèrement contrefaite.

LE GÉNÉRAL, *à Villardieu.*

Elle est bossue, carrément. De plus, elle a
quarante et quelques...

LA COMTESSE *le coupe.*

Léon !

LE GÉNÉRAL

Enfin, elle a trois ans de plus que toi. Vous
verrez tout à l'heure pourquoi je tenais à préciser
son âge. *(Il continue, à Villardieu.)* Vieille fille,
bien entendu, romanesque ; une seule passion : le
piano. Vous voyez cela ? D'ailleurs, vous la verrez
sans doute en chair et en os si vous restez au
château.

LA COMTESSE

Elle sait que nous sommes ici ?

LE GÉNÉRAL

Non, pas encore.

LA COMTESSE

Mais elle va descendre déjeuner, j'espère. Où estelle en ce moment ?

LE GÉNÉRAL

Dans sa chambre.

LA COMTESSE

Dans sa chambre, tante Ardèle, à onze heures ? et
ses fleurs ?

LE GÉNÉRAL

Enfermée. Voilà la clef.

LA COMTESSE

Mais enfin, Léon, pourquoi?

LE GÉNÉRAL *regarde Villardieu.*

Tu tiens vraiment à ce qu'il reste? Bon. Elle a probablement un amant!

LA COMTESSE *crie.*

Léon! Tu rêves?

LE GÉNÉRAL

Je voudrais bien. Je me pince depuis trois jours. Je suis couvert de bleus. Quand je trouve une épingle sur un meuble, je me pique. Quand j'allume mon cigare, je me brûle avec l'allumette, pour voir. Mais rien n'y fait. Je ne rêve pas.

LA COMTESSE

Mais Ardèle est une infirme! Elle est âgée — enfin, je veux dire, elle n'a plus l'âge de... — d'ailleurs, l'âge n'y fait rien. Mais dans sa situation, avec son état de santé... Enfin jamais, quand elle avait vingt ans, Ardèle n'a songé qu'elle pourrait se marier. Elle savait bien que personne... Je vais être cruelle, mais, bien qu'elle ait un assez charmant visage... Qui, d'ailleurs, aurait pu?

LE GÉNÉRAL

C'est là que cela se corse. On a pu. Quelqu'un a pu.

LA COMTESSE

Quelqu'un a demandé la main d'Ardèle? Et elle a

été assez peu raisonnable pour prendre cette
demande au sérieux?

LE GÉNÉRAL

On n'a même pas demandé sa main. Ta sœur est
tombée amoureuse d'un homme et elle a décidé de
fuir avec lui. Prie le Ciel qu'elle ne soit pas déjà sa
maîtresse. C'est notre dernier espoir.

LA COMTESSE

Léon, à présent tu es odieux! Avec ses sentiments religieux, sa haute tenue morale, jamais
Ardèle n'aurait pu. Ardèle est une sainte, voyons!

LE GÉNÉRAL

Peut-être. Mais maintenant, c'est une sainte qui
veut se marier.

LA COMTESSE

Mais enfin avec qui?

LE GÉNÉRAL

Tu sais que Toto n'a jamais très bien mordu au
latin?

LA COMTESSE

Je ne vois pas le rapport.

LE GÉNÉRAL

Tu vas le voir. Tu sais aussi qu'Amélie, avec sa
maladie, ne peut pas supporter l'idée de le mettre
en pension. Bref, comme avec le curé du pays il en
était toujours à la première déclinaison et qu'avec
moi cela se terminait à coups de poing, j'ai décidé
de lui donner un précepteur.

LA COMTESSE

Je t'ai toujours dit que ta tranquillité était à ce
prix.

LE GÉNÉRAL *ricane sombrement.*

Ma tranquillité, en effet, comme tu dis! Écoute
la suite. Les Vaudreuil me recommandent quelqu'un. Un homme merveilleux qui a élevé leur fils
aîné. Sept ans chez eux. Un puits de science, une
âme d'élite, etc. Je le convoque. Qu'est-ce que je
vois arriver? Tiens-toi bien, un bossu! Moi, <u>les
bosses, cela ne me fait plus rien, naturellement.</u>
Il me paraît intelligent, posé, je l'engage. Je
prends cependant quelques précautions pour avertir
Ardèle... On ne sait jamais; une susceptibilité
d'infirme... Pas du tout. Ils s'entendent très
bien. Ils se découvrent une passion commune : la
musique. Les voilà tous les deux tous les soirs au
piano, dans le grand salon, à chanter du Fauré
bosse contre bosse. C'est un homme qui a d'ailleurs
une jolie voix. Je me disais : « Bon, la musique
m'embête, mais cela distrait Ardèle, cette maison
n'est pas si gaie, et, par ailleurs, Toto fait des
progrès. Tout va bien. » Tout allait bien, en effet.
Tout allait admirablement bien. Du piano, ils sont
passés à la botanique. Ils ont commencé un herbier.
Puis ils ont découvert les papillons. Tu les vois,
sautillant tous les deux dans la prairie armés de
filets de tarlatane? L'idylle a duré six mois. Un
matin, qu'est-ce que je vois? Ardèle s'était mis du
rouge aux lèvres. Je m'étonne, je la questionne. Tu
sais comme je suis, je fonce, je la pousse dans ses
retranchements, soudain : crac! elle fond en larmes.
Elle m'avoue qu'elle aime le bossu.

LA COMTESSE

C'est affreux! Mais enfin, tu lui as fait comprendre, j'espère...

LE GÉNÉRAL

J'ai essayé, tu penses bien. Mais il n'y avait rien à lui faire comprendre. Ma pauvre Liliane, tu ne la reconnaîtras pas. Elle flambe, elle étincelle, elle a rajeuni de vingt ans. J'ai même l'impression qu'elle se tient droite.

LA COMTESSE

Mais lui?

LE GÉNÉRAL

Je le convoque. C'est un homme d'origine très modeste, plutôt humble de nature. Je me dis : « Je vais le confondre. » Je ne néglige rien, je me mets en uniforme, toutes mes décorations. Je l'attends, raide derrière mon bureau, comme dans une pièce de Dumas fils. A peine était-il debout devant moi, tout pâle, se doutant du coup, j'attaque. Je le traite d'intrigant, de suborneur, — j'avais bonne mine avec l'âge de ta sœur — cela ne fait rien. J'ai été superbe. Je dois avouer qu'il s'est très bien tenu aussi. Il m'a dit qu'il comprenait parfaitement qu'il ne saurait être question pour lui d'entrer dans notre famille, qu'il ne me demandait rien, mais que ses sentiments étaient là, qu'il aimait Ardèle et que personne au monde ne le ferait renoncer à son amour.

LA COMTESSE

Mais enfin, lui as-tu fait entendre ce qu'il y avait de monstrueux dans son état...

LE GÉNÉRAL

Il prétend, avec une certaine logique, qu'il est un homme malgré sa bosse. Et comme Ardèle aussi en a une, tu comprends que j'aie manqué d'arguments. Je l'ai flanqué à la porte, c'est tout ce que je pouvais faire. Il a refusé dignement l'indemnité à laquelle il avait droit et il est allé s'installer à l'auberge du village, où il est encore. Voilà!

LA COMTESSE

Et Ardèle?

LE GÉNÉRAL

Le premier soir elle tentait de sortir pour le retrouver. Je l'ai bouclée.

Il y a un silence. Villardieu, de plus en plus gêné, dit enfin, se levant :

VILLARDIEU

C'est évidemment très pénible. Vous ne pensez pas qu'il vaudrait mieux que je...

Comme personne ne fait attention à sa tentative, il se rassoit, incertain.

LE COMTE, *qui allume un cigare,*
demande soudain tranquillement.

Croyez-vous qu'ils auront des enfants bossus?

LA COMTESSE *s'écrie.*

Gaston, vous êtes odieux! Vous pensez bien que la question de cette union ne se pose même pas. De quoi aurions-nous l'air?

LE COMTE

Que voulez-vous faire? Ardèle est riche, elle est

majeure — plutôt deux fois qu'une sans vous
blesser, ma chère... Séquestration? Vous vous
mettez dans un drôle de cas!

LA COMTESSE *se lève.*

Je vais lui parler : donne-moi la clef.

LE GÉNÉRAL

Elle a tiré le verrou, elle ne te recevra pas.
J'oubliais de te dire qu'elle refuse les plateaux que
je lui fais monter; depuis trois jours elle n'a rien
mangé. *(Il allume un cigare et, après s'être brûlé le
doigt une dernière fois, en vain, avec l'allumette, il va
taper sur l'épaule de Villardieu.)* Ah! c'était le bon
temps, le quatrième spahis!

VILLARDIEU *sursaute
et se met machinalement au garde-à-vous.*

Oui, mon général.

LE GÉNÉRAL

Repos! Nous en avons tous besoin.

*Il va s'étendre sur un canapé. Pendant ce
temps, la comtesse est montée frapper à une
porte.*

LA COMTESSE

Ardèle. Ma petite sœur. Tu m'écoutes? C'est
Liliane qui te parle. Léon m'a demandé de venir. Je
veux absolument te parler. Ardèle, ouvre-moi
immédiatement. Ardèle!

*Rien ne répond derrière la porte; la comtesse
attend un instant, puis se détourne découragée.*

LE GÉNÉRAL *lui crie.*

Referme!

La comtesse redescend en silence et, après avoir rendu la clef au général, s'assoit aussi. Silence très pénible. Villardieu se demande toujours s'il doit se lever ou rester assis. La comtesse se tourne enfin vers le comte.

LA COMTESSE

Dites quelque chose, Gaston!

LE COMTE, *doucement.*

Tout ce que je pourrais dire me paraît bien inutile. Nous sommes convenus depuis longtemps, ma chère, que l'amour avait tous les droits.

LA COMTESSE *se lève indignée.*

Mais, Gaston, vous êtes donc complètement amoral? Entre ces deux êtres difformes, il ne peut être question d'amour!

LE COMTE

De quoi, alors?

LA COMTESSE

Et puis il y a autre chose que l'amour! Il y a le monde. Il y a le scandale.

LE COMTE

Le monde s'arrange de bien d'autres désordres, vous le savez comme moi. Il en sourit et les trouve piquants. Il trouvera celui-ci odieux et grotesque, voilà tout. Cela ne sera jamais qu'une nuance dans l'opinion du monde et un désordre de plus.

La femme de chambre est entrée, elle vient au général et annonce.

LA FEMME DE CHAMBRE

Monsieur est servi.

LE GÉNÉRAL *se lève.*

C'est vrai. J'avais oublié de vous le dire : ici nous
déjeunons à midi. Faites retarder un peu, Ada, et
conduisez Monsieur à la chambre verte. Tu as la
grande chambre du sud avec Gaston, Liliane,
comme d'habitude. Nathalie va t'y conduire. Nous
tâcherons d'y voir plus clair et de parler à Ardèle
après le déjeuner.

> *Tout le monde se lève et se dirige vers les*
> *chambres. Le comte a pris le général à part.*

LE COMTE

Dites-moi, mon cher, il n'y a que cet appareil de
téléphone dans la maison?

LE GÉNÉRAL

Non, j'ai aussi un récepteur dans la bibliothèque.

LE COMTE

Parfait. Je vais vous dire : vous savez que notre
vie, avec Liliane, a un peu changé.

LE GÉNÉRAL

J'ai vu cela.

LE COMTE

C'est sans aucune importance. Les apparences
sont respectées.

LE GÉNÉRAL

C'est l'essentiel.

LE COMTE

Seulement j'ai une petite amie, une fille déli-
cieuse que j'ai pris la liberté d'installer à l'auberge du village pour ne pas m'en séparer pendant
notre séjour ici. J'aimerais lui téléphoner discrète-
ment. Elle est un peu nerveuse en ce moment,
elle m'inquiète. Oui, c'est le grand amour, mon
cher. Cette enfant m'adore, et comme je ne peux
lui donner que très peu de mon temps, elle souffre.
L'autre jour, elle a voulu se tuer avec du laudanum.

LE GÉNÉRAL

Mimi Pinson! Cela doit être adorable!

LE COMTE

Oui, mais un peu angoissant aussi. A mon âge
c'est presque trop qu'on vous donne tout. Imaginez une petite couturière, un article de Paris
plein de tendresse et d'esprit.

LE GÉNÉRAL

Farceur! Mais c'est merveilleux. Quel âge?

LE COMTE

Vingt ans, deux yeux noirs, un petit cœur neuf...

LE GÉNÉRAL

Vous me la montrerez, cachottier?

LE COMTE

Bien sûr. Nous irons déjeuner ensemble au
village. Après ma rupture avec Liliane je cherchais
une aventure, c'est l'amour qui me tombe dessus.
Figurez-vous que je passais rue de la Paix; il
pleuvait à torrents; je lui offre mon parapluie...

Ils vont passer dans la bibliothèque. A ce moment on entend crier : « Léon! Léon! » là-haut.

LE GÉNÉRAL *s'arrête un instant,*
puis hausse les épaules.

Zut! je n'y vais pas. Je dirai que j'ai cru que c'était le paon. Alors, vous dites que vous lui offrez votre parapluie...

Ils sont passés dans la bibliothèque.
La scène reste vide. On entend un sifflement, puis le bruit d'un petit train, toussotant, qui passe dans la campagne, tout près.
Nicolas entre en saint-cyrien avec une petite valise. Il est un peu étonné de ne voir personne.
Il pose sa valise, commence à enlever son shako et sa baïonnette.
Nathalie paraît sur la galerie et s'arrête, le voyant.

NATHALIE, *doucement.*

Tu es venu?

NICOLAS

Tu vois. *(Un temps. Il continue :)* J'ai pris le raccourci de la gare à travers le bois. Je me suis arrêté une minute au petit lavoir couvert où une femme avait oublié un linge bleu comme autrefois. Là, j'ai sauté le mur près des noisetiers à l'endroit de l'ancienne brèche, et je suis remonté par les ruches. Je ne sais pas combien de temps vivent les abeilles, pourtant on dirait qu'elles m'ont reconnu. Rien n'a changé dans ce château depuis deux ans. Tout est là à sa place. Même toi.

NATHALIE, *doucement.*

Même moi.

NICOLAS

La robe à peine un peu plus longue.

Un silence. Ils se regardent de loin. Nathalie murmure.

NATHALIE

Tu es devenu un homme, toi.

NICOLAS, *grave.*

Tu vois. Cela devait tout de même arriver.

NATHALIE

Oui.

Il y a encore un silence pendant lequel ils se regardent sans bouger. Nicolas demande soudain.

NICOLAS

Nathalie, pourquoi as-tu épousé mon frère?

Nathalie ne répond pas, immobile. Le noir, soudain.

Quand la lumière revient, c'est après déjeuner. Les portes de la salle à manger sont ouvertes; on aperçoit les convives à table dans le fond.

Le comte est au téléphone, jetant des regards inquiets vers la salle à manger.

LE COMTE

Tu es injuste, mon petit rat. Je t'assure que je ne peux pas parler plus haut... Parce qu'il y a du monde à côté. Non, mon petit lapin, je ne te néglige pas, mais tu sais que je suis ici pour une importante affaire de famille qui va être bientôt réglée. Je m'arrangerai pour venir te voir aussitôt. Mais si, je me rendrai libre! Mais non, mon petit loup, pas pour une demi-heure, mais pour trois quarts d'heure au moins ou une heure... Mais tu sais bien que je ne fais pas ce que je veux, Josette!... Si je t'aimais?... Mais je t'aime! Je t'en supplie, ne raccroche pas! *(Il murmure encore dans l'appareil vide :)* Ne raccroche pas!

> *Puis il le pose avec un soupir et retourne dans la salle à manger. Il croise les enfants qui en sortent.*

MARIE-CHRISTINE

Pourquoi ils nous ont permis de nous lever de table?

TOTO

T'as pas compris?... C'est parce qu'ils voulaient se parler. Ils ont essayé pendant tout le déjeuner. Mais quand ça commençait à devenir intéressant, il y en avait toujours un qui toussait en nous regardant.

MARIE-CHRISTINE

Qu'est-ce que tu crois qu'ils voulaient se dire?

TOTO

Des saletés. Quand ils vous font sortir, c'est toujours pour se dire des saletés.

MARIE-CHRISTINE

Quelles saletés?

TOTO

Des histoires d'amour. Maintenant qu'on est sortis, ils vont commencer. Si tu veux qu'on écoute, je connais un coin d'où on entend tout.

MARIE-CHRISTINE

Non, ça ne m'amuse pas. J'aime mieux qu'on joue à se déguiser avec leurs affaires. On se ferait des scènes. On serait mariés, tu comprends. On se battrait.

> *On entend la générale crier là-haut : « Léon! Léon! »*

MARIE-CHRISTINE

Qu'est-ce que c'est? On dirait un oiseau.

TOTO

Tu parles d'un oiseau! C'est maman qui appelle papa. C'est comme ça tous les quarts d'heure.

MARIE-CHRISTINE

Pourquoi elle l'appelle?

TOTO

Pour savoir où il est.

MARIE-CHRISTINE

Pourquoi elle veut savoir où il est?

TOTO

Parce qu'elle a peur qu'il soit avec la bonne. Attention! *(Ada est entrée portant le café. Toto demande, angélique :)* Alors, Marie-Christine, tu veux qu'on joue aux billes, ou si tu préfères qu'on aille donner du pain-pain aux carpes sur la terrasse?

ADA

Si vous allez aux carpes, attention à ne pas tomber dans le bassin, monsieur Toto.

TOTO, *trop poli pour être honnête.*

Oui, Ada.

ADA

Et vous serez gentil avec votre petite cousine, n'est-ce pas?

TOTO *sortant, hypocrite.*

Je pense bien. On va jouer au papa et à la maman.

Ada dispose les tasses et la cafetière sur une table basse. Le général entre brusquement.

LE GÉNÉRAL

Où sont les enfants?

ADA

Ils sont sortis sur la terrasse.

LE GÉNÉRAL *se rapproche.*

Qui était cet homme, tout à l'heure, dans la cuisine?

ADA

Le plombier, pour la fuite du second.

LE GÉNÉRAL

Ce n'est plus Cotard?

ADA

C'est son ouvrier. Cotard dit qu'il est trop vieux maintenant pour faire la route à bicyclette.

LE GÉNÉRAL

Celui-là est trop jeune! Je ferai venir un plombier de Châtellerault.

ADA

Il sera peut-être aussi jeune!

LE GÉNÉRAL

Alors tant pis. Je laisserai l'eau pisser partout dans cette maison. Qu'est-ce qu'il te disait qui te faisait rire? Chaque fois qu'on entrouvrait la porte de l'office, je t'entendais.

ADA *rit bêtement.*

Des bêtises... Vous savez bien ce que c'est que les hommes. Quand ça voit une fille, il faut que ça lui dise des mots...

LE GÉNÉRAL *se décompose
et devient vieux soudain; il murmure.*

Ada.

ADA

Oui.

LE GÉNÉRAL

Ne me trompe pas. Je t'aime. *(Il détourne les yeux.)* Enfin, j'ai besoin de toi. Je sais que tu ne peux m'aimer, mais je te donnerai tout ce que tu voudras. Sans ton odeur, sans ton corps chaque jour touché, je suis comme un petit garçon seul au monde dans cette maison. *(Il la regarde.)* Je te fais rire, idiote? Je suis aussi drôle que le plombier? *(Villardieu est entré. Le général enchaîne :)* C'est cela, apportez les liqueurs, Ada.

ADA

Bien, monsieur.

> *Elle sort. Le général allume un cigare, il en tend un à Villardieu qui vient s'asseoir près de lui. Le général, en allumant le sien, se brûle avec l'allumette à tout hasard et constate déçu :*

LE GÉNÉRAL

Non. *(Il répond au regard étonné de Villardieu.)* Il faut bien se rendre à l'évidence. On ne rêve jamais. Vous ne le regrettez pas, vous, le quatrième spahis ?

VILLARDIEU

Quelquefois, mon général.

LE GÉNÉRAL

Vous n'êtes pas heureux non plus ? Liliane est pourtant charmante. Un peu folle, mais charmante. Je ne sais pas comment elle s'arrange, voilà dix ans qu'elle rajeunit. Qu'est-ce qui ne va pas ?

VILLARDIEU

Je me demande s'il m'est possible, mon général...

LE GÉNÉRAL

Bah! Au point où nous en sommes tous dans cette maison... Il ne nous reste plus qu'à ne pas être hypocrites. Pourquoi n'êtes-vous pas heureux ?

VILLARDIEU, *sombre.*

Je suis jaloux.

LE GÉNÉRAL

Ah diable! D'un ouvrier plombier ?

VILLARDIEU, *ahuri par cette question.*

Pourquoi d'un ouvrier plombier?

LE GÉNÉRAL

Je ne sais pas. Une idée. Ç'aurait été une coïncidence amusante...

VILLARDIEU

Je crois que la comtesse aime encore son mari.

LE GÉNÉRAL

Liliane est capable de tout.

VILLARDIEU

Et on a beau être de son temps, tout admettre... Il y a une certaine netteté de sentiments qui est tout de même indispensable. Je contrôle leur vie commune.

LE GÉNÉRAL

Vraiment?

VILLARDIEU

Oui. Je suis toujours là. Je ne couche plus chez moi, je ne prends plus jamais un repas au cercle. J'ai, Dieu merci, une fortune qui me permet de ne pas m'occuper d'autre chose. Nous avons, bien entendu, chacun notre chambre à cause des domestiques et de Marie-Christine. Cette villa normande est de verre, on entend tout et il ne saurait être question pour Liliane d'aller chez moi, ni pour moi d'aller chez elle. Mais je passe mes nuits à surveiller la porte du comte. Je crains qu'ils n'aient des rendez-vous secrets.

LE GÉNÉRAL

Mais, dites-moi, cette vie-là ne doit pas être commode du tout. Alors, ma sœur et vous... *(Il a un geste.)* Nous sommes entre camarades, sacre-bleu!

VILLARDIEU *secoue la tête.*

Jamais. Ou presque jamais. Comme Liliane est jalouse du comte et qu'elle veut l'empêcher à tout prix d'aller voir sa petite amie, elle s'arrange pour ne pas le quitter de tout le jour. Thés, expositions, courses... Nous allons partout tous les trois ensemble. Et la nuit, pendant que je surveille sa porte, elle surveille la sienne. Le comte est le seul d'entre nous qui pourrait dormir. Je dis : « qui pourrait », car sa petite amie, qu'il ne peut jamais voir, lui fait des scènes, et je suis persuadé qu'il ne dort pas non plus.

LE GÉNÉRAL

En somme, cela ne doit pas être très rigolo, mais cela me paraît très moral, votre histoire.

> *Entrent le comte et la comtesse, suivis de Nathalie et de Nicolas.*

LA COMTESSE

Eh bien! Léon, lui parlons-nous?

LE GÉNÉRAL

Le problème est de la faire sortir de sa chambre. *(Il lui tend la clef.)* Veux-tu essayer?

LA COMTESSE

Elle a déjà refusé de m'écouter.

LE GÉNÉRAL

Essaie encore. Moi, elle m'en veut. Si cela peut
arranger les choses, je t'autorise à lui dire qu'il te
paraît excessif que je l'aie enfermée.

La comtesse prend la clef et monte.

VILLARDIEU *se lève.*

Dois-je sortir?

*Personne ne lui répond. Il se rassoit. Le comte
allume un cigare et s'installe.*

LE COMTE

Moi, je trouve qu'elle a beaucoup de cran, tante
Ardèle. Trois jours sans manger. Elles étaient
fameuses, vos truites, général. *(A Nathalie et
Nicolas qui sont assis près de lui.)* Vous n'avez jamais
essayé de faire la grève de la faim, vous?

NATHALIE

Jamais.

LE COMTE, *à Nicolas.*

Toi non plus?

NICOLAS

Non, mon oncle.

LE COMTE

J'ai essayé, moi, une fois. J'ai tenu jusqu'au
fromage. Arrivé là, j'ai compris que c'était trop bête
et qu'il fallait vivre tout de même.

LE GÉNÉRAL

C'est bien mon avis. *(Comme Nicolas s'est*

retourné vers Nathalie et qu'il la regarde, le général
demande :) Ce n'est pas le vôtre, Nathalie?

NATHALIE

Si, bien sûr!

LE GÉNÉRAL

Et toi, ne prends pas cet air abruti, Nicolas! On
t'a fait venir parce que le scandale de tante Ardèle
risque de rejaillir un jour sur toi comme sur les
autres. Tu es bien jeune, mais écoute et tâche de te
faire une opinion. Quand il s'agira de prendre une
décision, tout à l'heure, on te la demandera.

> *La comtesse a tourné la clef dans la serrure*
> *d'Ardèle. Elle écoute un peu, puis commence :*

LA COMTESSE

Ardèle, c'est Liliane. Nous sommes tous là :
Gaston, Nathalie, et même Nicolas qui est venu
spécialement en permission pour te voir.

LE COMTE

Dis-lui aussi qu'il y a Villardieu, cela la tou-
chera!

LA COMTESSE *hausse les épaules et continue.*

Nous voulons te dire que nous sommes tous
révoltés du traitement inadmissible que t'a fait
subir Léon.

LE GÉNÉRAL

N'exagère pas. Elle va se croire une martyre.

LA COMTESSE

Et nous voudrions t'en parler affectueusement.

Veux-tu ouvrir? Nous aimerions venir t'embrasser dans ta chambre ou bien tu pourrais descendre au salon où nous sommes tous réunis. Qu'est-ce que tu dis?

> *La comtesse se penche à la porte. Tout le monde écoute. La comtesse se retourne.*

Elle dit que sa décision est prise, qu'elle n'ouvrira à personne et qu'il faut la laisser mourir.

LE GÉNÉRAL

Mourir! Mourir par désespoir d'amour! Moi aussi, j'ai été désespéré à en mourir une bonne demi-douzaine de fois. Est-ce que je suis mort, sacrebleu? Non. *(Au comte.)* Et vous?

LE COMTE

Moi non plus.

LE GÉNÉRAL *se lève.*

Bon. Une porte, cela s'enfonce. Un levier, deux hommes : exécution!

LA COMTESSE

Reste calme, Léon. Nous n'obtiendrons rien que par la douceur. *(Elle revient à la porte.)* Ardèle! Je suis ta petite sœur. Léon m'a raconté ton histoire et j'ai beaucoup de peine pour toi. Je voudrais bavarder avec toi de ce qui t'arrive. Tu sais que, bien que ta cadette, j'ai une plus grande expérience de la vie que toi. J'aimerais te donner un conseil. *(Elle écoute et se redresse pincée.)* Tu es odieuse, Ardèle!

LE GÉNÉRAL

Qu'est-ce qu'elle t'a dit?

LA COMTESSE, *qui redescend hors d'elle.*

Elle a été extrêmement désagréable avec moi.
Fais ce que tu veux, Léon, moi, je ne m'en mêle
plus.

LE GÉNÉRAL

Mais, enfin, dis-nous ce qu'elle t'a dit, saperlotte! Si nous passons notre temps à nous vexer
tous, nous n'en sortirons jamais.

LA COMTESSE

Ma vie privée ne regarde personne! Surtout pas
ma famille! D'ailleurs, je me demande comment
elle peut savoir. Cela me donne une jolie idée de
vos conversations quand je ne suis pas là. T'ai-je
jamais jugé, Léon? Toutes les fois que je t'ai
surpris les mains dans les jupes de tes femmes de
chambre, ai-je seulement fait semblant de te voir?

LE GÉNÉRAL

Quelles jupes? Quelles femmes de chambre? Sors
immédiatement, Nicolas! Non, d'ailleurs c'est trop
tard. Reste. Ce n'est pas ma faute si ta tante est
folle! *(Il crie soudain :)* Mille tonnerres, Liliane,
apprends que je fais ce qu'il me plaît!

LA COMTESSE, *nez à nez avec lui.*
Moi aussi, figure-toi, mon petit Léon!

LE COMTE, *calmement, derrière eux.*

Tante Ardèle aussi, voilà tout. Vous êtes extraordinaires. Pourquoi ne voulez-vous pas lui reconnaître les droits que vous vous reconnaissez?

LA COMTESSE

Ne vous faites pas plus naïf que vous n'êtes, Gaston. Vous savez bien qu'il ne s'agit que de respecter les apparences. De ne pas offrir le scandale en pâture au monde.

LE COMTE

Il faut bien que le monde ait quelque chose à se mettre sous la dent.

LA COMTESSE

Et puis enfin, parlons net. Malgré son âge, nous sommes obligés de considérer Ardèle comme une enfant irresponsable. Que peut-elle savoir de l'amour?

LE COMTE, *calmement.*

De l'amour, comme vous l'entendez, comme je l'entends, comme l'entendent le général, Villardieu et Nathalie, rien peut-être. Mais de l'amour comme l'entend Ardèle, tout, sûrement... Et qui peut dire si ce n'est pas précisément cela, l'amour?

LA COMTESSE

Vous vous amusez comme d'habitude. Ce que vous dites n'a aucun sens commun, mon ami.

> *On entend crier soudain là-haut : « Léon!*
> *Léon! »*

LA COMTESSE *demande.*

C'est le paon?

LE GÉNÉRAL

Non, c'est Amélie. *(Il crie :)* Voilà! *(Il monte et leur crie soudain de la galerie :)* Je suis resté dix ans à portée de voix de cette folle. J'aurais pu vivre, moi aussi. Les jupes de mes femmes de chambre, c'est tout ce que la vie m'a laissé. Alors, qu'on ne vienne pas me les reprocher maintenant! *(Il ouvre la porte et d'une autre voix :)* Je suis là, Amélie. Nous sommes tous là. Nous bavardons. De quoi? De la pluie et du beau temps. Dors un peu. *(Il referme la porte.)* Je vous donne dix minutes pour la décider, sinon je fais sauter la porte.

LE COMTE

Et après?

LE GÉNÉRAL

Si elle refuse de manger, je la gave. Comme une oie.

LE COMTE

Et après?

LE GÉNÉRAL

Elle mange normalement, elle reprend son piano, elle oublie son bossu. Tout rentre dans l'ordre. Vous pouvez disposer. Rompez les rangs.

LE COMTE

Et si cela ne se passait pas comme ça? Si elle était vraiment désespérée? Si cet amour, qui vous paraît grotesque, était sa seule raison de vivre maintenant? Général, c'est bien ennuyeux, j'en conviens, mais figurez-vous que tante Ardèle a une âme dans sa bosse.

LE GÉNÉRAL

C'est possible! Les têtes de caillou qu'on m'expédiait comme recrues dans le Sud marocain en

avaient une aussi, théoriquement. Mais si j'en avais
tenu compte, je n'aurais seulement pas réussi à les
faire mettre en rang par quatre. Il faut savoir ce
qu'on veut, n'est-ce pas, lieutenant?

VILLARDIEU *sursaute*
et se met au garde-à-vous encore.

Oui, mon général.

LE COMTE, *dans son dos.*

Repos! (*Villardieu en jette son cigare de rage et va
respirer l'air du jardin. Le comte continue posément :)*
D'abord, nous sommes en Indre-et-Loire, la guerre
est finie dans le Sud marocain, tante Ardèle n'est
pas une recrue, et vous, mon général, vous nous
jouez soudain les vieilles badernes, mais, je vous
connais, vous n'en pensez pas un mot. Voulez-vous
que j'essaie de lui parler, moi? Il me semble que je
m'y prendrais mieux que vous tous.

LE GÉNÉRAL

A votre aise, mon vieux, mais je n'ai pas grand
espoir.

*Le comte est monté pendant ce temps jusqu'à
la porte d'Ardèle ; il commence :*

LE COMTE

Tante Ardèle, c'est Gaston. Vous êtes malheureuse, tante Ardèle, et je ne suis pas très heureux
non plus. Cela vous ennuierait tellement que nous
bavardions un peu, tous les deux, sur le bonheur?

LA COMTESSE

Voilà un début qui promet!

LE COMTE

On fait ce qu'on peut. Si vous trouvez mieux,
venez à ma place. *(Il écoute et sourit.)* Eh bien!
tante Ardèle, je suis très content d'apprendre que
vous m'aimez bien. Moi aussi, je vous aime
beaucoup.

LE GÉNÉRAL

Ils se font des déclarations d'amour, maintenant.
Elle va croire qu'elle tourne la tête à tout le monde.
C'est gai!

LA COMTESSE

Tout cela est d'une sottise!

*Pendant ces répliques, le comte a écouté
attentivement à la porte.*

LE COMTE

Tante Ardèle, d'abord ce n'est pas vrai. Vous
n'êtes pas vieille, vous venez de nous le prouver.

LA COMTESSE

Bien sûr qu'elle n'est pas vieille à quarante...
(Elle s'arrête.) Ce n'est pas de son âge qu'il est
question.

LE COMTE

Vous avez toute la vie devant vous, tante Ardèle.
Et la vie est pleine de petites joies humbles pour
chaque jour. Pensez à votre piano, à vos fleurs, à
vos aquarelles. C'était bon tout cela aussi. *(Il
écoute.)* Mais non, mais non. C'est plus important
que vous ne le croyez. Nous sommes trop exi-
geants, tante Ardèle. La vie est faite de pièces de
deux sous et il y en a une fortune pour ceux qui

savent les amasser. Seulement, nous les méprisons.
Nous attendons toujours que la vie nous règle avec
un billet de mille. Alors nous restons pauvres
devant le trésor. Les billets de mille sont rares,
tante Ardèle. *(Il se retourne vers les autres.)* Je n'ai
aucune conviction pour lui débiter tous ces lieux
communs. C'est bien pour vous rendre service. *(Il
écoute.)* Pardon, tante Ardèle?

LE GÉNÉRAL

Qu'est-ce qu'elle répond?

LE COMTE *se retourne.*

Elle me répond avec assez de bon sens que,
lorsqu'on trouve un billet de mille, il ne faut pas le
laisser filer.

LE GÉNÉRAL

Parlez-lui de son devoir. C'est un truc qui réussit
quelquefois. Dites-lui que, moi aussi, je les ai vus
passer les billets de mille, un par un, et que je suis
resté.

LE COMTE

Tante Ardèle, on me demande de vous parler de
votre devoir. Nous sommes quelques-uns dans ce
salon qui nous croyons libres et dont la vie est, dans
une certaine mesure, un objet de scandale.

LA COMTESSE

Gaston, c'est insensé! Ce n'est pas de nous qu'il
s'agit.

LE COMTE

Eh bien! tante Ardèle, si nous ne nous condui-
sons pas tout à fait bien, c'est parce qu'il nous

reste, à tous, une vague petite notion de devoir au
fond de notre désordre qui fait que nous n'avons
pas le courage de nous conduire tout à fait mal.

LE GÉNÉRAL

Il s'embrouille. Enfonçons la porte et finissons-
en!

LE COMTE

Je parle pour moi comme pour les autres, tante
Ardèle. *(Il écoute.)* Vous êtes gentille, tante Ardèle.
Mais je suis malheureux tout de même et je vous
assure que cela me fait une belle jambe d'avoir
raison!

LA COMTESSE

Gaston, vous n'allez pas en profiter pour vous
plaindre!

LE COMTE *se bouche une oreille*
comme s'il était au téléphone.

Moins de bruit, s'il vous plaît, je n'entends rien.
Allô! Allô! Ne coupez pas, tante Ardèle. Vous dites
que Léon vous dégoûte?

LE GÉNÉRAL *sursaute.*

Ah! ça, c'est le bouquet! Elle tombe amoureuse
d'un bossu et c'est moi qui la dégoûte!

LE COMTE

Léon vous dégoûte, ma pauvre tante Ardèle,
parce qu'il est resté près d'Amélie et qu'il compose
comme il peut. Ce sont nos bons sentiments qui
nous font faire de vilaines choses. Avec moins de
tendresse pour elle, il l'aurait mise dans une maison
de repos depuis dix ans et vous n'auriez pas à le

juger. Rien n'est si simple, tante Ardèle. Et pour Liliane, Villardieu et moi c'est pareil. C'est par excès de scrupules que nous en sommes là.

LA COMTESSE *lui crie.*

Gaston, il est question de tante Ardèle et d'un bossu. Pas de moi, ni de Villardieu!

VILLARDIEU *monte quatre à quatre jusqu'au comte sur la galerie.*

Comte, je vous avertis! Cette histoire ne me regarde en rien. Je ne souffrirai pas qu'on y mêle ma vie privée.

LE COMTE *lui demande.*

Et la mienne, Villardieu?

VILLARDIEU

Comme il vous plaira.

LE COMTE, *gentiment.*

Vous me faites rire, mon vieux. C'est la même... *(Il se penche à la porte.)* Non, je parlais à quelqu'un, tante Ardèle, à Villardieu. C'est un grand ami de Liliane et de moi. C'est cela, vous avez bien compris, tante Ardèle. Vous en savez long depuis quelque temps. Si je souffre? Pas exactement. Vous en êtes tout au début, tante Ardèle, attendez un peu. Cette grande faculté de souffrir s'émousse aussi. Évidemment, si la première année j'avais perdu Liliane...

LA COMTESSE

Gaston, tu es l'impudeur même! Pour la dernière fois, ce n'est pas notre procès que nous faisons, c'est celui d'Ardèle.

LE COMTE

Mais c'est le même, ma pauvre Lili!

VILLARDIEU *sursaute.*

Comment! votre pauvre Lili! Mais qui vous autorise, monsieur?

LE COMTE

Repos, Villardieu! Liliane, ce n'est pas ton procès, ni le mien, ni celui du général ou d'Ardèle ou de Villardieu. Nous faisons le procès de l'amour. Tante Ardèle a l'amour caché dans sa bosse comme un diable, l'amour tout nu et éclatant dans son corps difforme, sous sa vieille peau. Et nous qui trichons tous avec l'amour depuis je ne sais combien de temps, nous voilà nez à nez avec lui maintenant. Quelle rencontre!

LA COMTESSE, *d'un autre ton soudain.*

Elle te fait peur?

VILLARDIEU

Comment? Vous vous tutoyez maintenant?

LE COMTE

Je t'ai aimée, Liliane, il y a quelque quinze ans, quand j'ai été te prendre chez ton père. J'ai vu l'amour en face et je n'ai pas eu peur. C'est quand on commence à le voir de biais ou par-derrière, quand il s'éloigne, qu'il est terrible.

LA COMTESSE

Et ton nouveau grand amour aux doigts piqués de trous d'aiguille, te fait-il peur aussi?

LE COMTE

Je suis bien usé, Liliane, pour avoir peur de mes sentiments. Mais quand je la regarde me regarder, oui, un peu.

LA COMTESSE

Tu te crois donc aimé? Mais tout le monde sait que cette petite se moque de toi, mon ami!

LE COMTE

Puisse le monde dire vrai. Qu'il n'y ait plus d'amour nulle part que dans la bosse de tante Ardèle, et qu'on ait moins mal — tous. Mais c'est comme à ce jeu d'enfants où on se passe une allumette enflammée : Petit bonhomme vit encore. Ou on se brûle les doigts ou bien — si on s'est débarrassé assez tôt de l'allumette — on regarde les autres se brûler. Et ce n'est guère plus gai.

LE GÉNÉRAL

Mais enfin, sacrebleu! Est-ce qu'on ne pourrait pas s'aimer sans se faire mal? Est-ce qu'on ne pourrait pas se foutre un peu la paix?

LE COMTE

La paix? Général, parlez-vous de la guerre. Les militaires ont toujours eu des idées enfantines sur la paix.

LE GÉNÉRAL

Je ne plaisante pas, Gaston. C'est une idée qui me travaille. C'est entendu, ma femme est devenue folle par amour pour moi. Elle souffre, c'est bon. Est-ce ma faute? Je fais ce que je peux. Je voudrais pourtant vivre, sacrebleu! sans larmes, sans

reproches, et sans coups de poignard. Il doit y avoir
un moyen ?

LE COMTE

Il y a bien longtemps qu'on le cherche.

LE GÉNÉRAL

Mais il y en a qui l'ont trouvé, mille tonnerres !
Le monde est plein de gens heureux. Quelquefois,
quand je peux m'échapper un quart d'heure, je les
regarde aux terrasses des cafés, qui s'abordent, qui
se sourient, qui prennent des femmes par la taille.
Enfin, bougre ! ce sont des hommes, ce sont des
femmes ; et ils sont gras ; ils composent tranquillement leur menu ; ils se demandent s'ils iront au
théâtre après, ou bien s'ils rentreront se coucher. Je
les regarde, dans mon coin, comme un vieux sot,
abasourdi. J'ai envie de les aborder et de leur
demander la formule.

LE COMTE

Ils ne sauraient pas vous le dire, mon général —
ils se croient de grands amoureux — mais elle est
simple.

LE GÉNÉRAL

Vous la connaissez, vous ?

LE COMTE

Oui. Ils n'aiment pas. Il y a très peu d'amour
dans le monde, c'est pour cela qu'il roule encore à
peu près. L'amour maladif d'Amélie vous est
insupportable, mais si, vous, vous n'aimiez pas
votre femme, ou si du moins vous ne l'aviez pas
aimée, s'il ne restait rien en vous du petit lieutenant
à lorgnons qui a cru bâtir la vie avec elle, vous

seriez à la terrasse d'un café, bien tranquille en ce moment, avec une autre, vous aussi. Vous seriez un homme.

LE GÉNÉRAL

Mais enfin, Amélie aurait pu ne pas exagérer! Elle aurait pu ne pas devenir folle, par exemple.

LE COMTE

Détrompez-vous, c'était le moins qu'elle pouvait faire. Ou alors c'est que vous n'auriez pas reçu grand-chose d'elle, autrefois. L'amour vous a comblé, un soir ou dix ans, maintenant il vous faut payer la note. L'amour se paie à tempérament, mais on est généreux, on vous donne du temps pour régler. Quelquefois toute la vie.

LE GÉNÉRAL

Mais pourquoi cette ardeur à se déchirer comme si on se voulait personnellement du mal? Pourquoi ne pas tâcher de limiter les dégâts?

LE COMTE

C'est la guerre, général. Vous êtes pour la guerre humanitaire, vous? Suppression des dents à la baïonnette, contrôle international du format de la balle, pour qu'elle tue, mais que la blessure soit bien propre? Une fois qu'on a commencé, tous les moyens sont bons. Il faut qu'il y en ait un qui ait la peau de l'autre, voilà tout.

LA COMTESSE

Votre cynisme est vraiment forcé, Gaston. A vouloir être trop brillant, vous pensez faux. Vous savez bien que l'amour, c'est avant tout le don de soi!

VILLARDIEU, *qu'on avait oublié,*
s'écrie soudain avec force.

Parfaitement !

LE COMTE

Pauvre Villardieu ! Vous croyez cela, vous aussi.
Et je me dépouille, et je me déchire et je me tue
pour l'être aimé ? C'est vrai. Tant que l'être aimé
est cette projection idéale de moi-même, tant qu'il
est mon bien, ma chose, tant qu'il est moi. C'est si
bon de sortir de l'immonde solitude. A soi-même,
sincèrement on n'oserait pas. Mais tout donner à
cet autre qui est vous, quelle bonne pluie d'été sur
un cœur racorni. Jusqu'au moment où, caprice,
hasard, l'autre redevient un autre, sans plus. Alors
on arrête les frais, naturellement. Que voulez-vous
donc qu'on donne à un autre sur cette terre ? Ce
serait de la philanthropie, ce ne serait plus de
l'amour.

LE GÉNÉRAL

J'ai l'impression que nous allons nous perdre.
Revenons à tante Ardèle ou laissez-moi enfoncer la
porte.

LE COMTE

Nous ne l'avons pas quittée, général. Tante
Ardèle est l'amour. Si nous persuadons tante
Ardèle de renoncer à tout donner à son bossu,
c'est-à-dire à elle-même, c'est que nous pouvons
tous guérir. Villardieu, vous aimez ma femme ;
général, vous aimez la vie ; Liliane, pour toi
maintenant c'est plus simple, tu es arrivée au stade
où on se l'avoue presque : tu t'aimes, toi. Et depuis
que tu t'es sentie vieillir, tu as eu peur de ne pas te

retrouver assez dans mes yeux, et tu t'es mise à en chercher d'autres, coûte que coûte, pour t'y contempler. Ce n'est pas de moi qu'il faut être jaloux, Villardieu. C'est d'elle. C'est avec elle qu'elle vous trompera, vous aussi.

LA COMTESSE

Gaston, tu as dépassé les bornes du cynisme maintenant. Tais-toi ou je sors de cette pièce!

VILLARDIEU

M'autorisez-vous à le faire taire par la force, Liliane? *(Il prend le comte par la cravate.)* Comte, si vous n'êtes pas un lâche, vous me rendrez raison de tout! Épargnez-moi la nécessité de vous souffleter.

LE COMTE

Entendu, mon vieux. Nous nous piquerons l'avant-bras quand vous voudrez, mais cela n'arrangera rien. *(Il se retourne soudain vers la porte.)* Allô! Tante Ardèle, on nous a coupés. Que disiez-vous? Qu'on ne vit qu'une fois? Criez moins fort, je ne vous comprends pas bien. Vous dites que vous avez attendu plus de quarante ans cette joie qui vous fait sortir de vous-même. Sortez, tante Ardèle, sortez de vous-même, faites trois petits tours; embêtez tout le monde, vous avez bien raison; puisque, de toute façon, il vous faudra un jour rentrer toute seule dans votre bosse pour y mourir. Mais vous vous trompez sur un point. Heureusement qu'on ne vit qu'une fois, c'est amplement suffisant. *(Il s'éloigne de la porte, fatigué soudain.)* Assez. Un peu à vous d'interroger l'oracle. Les vérités premières me fatiguent. Et puis, cela me fait prendre un ton

pathétique dont j'ai horreur. Allons, à qui le tour ?
Y a-t-il un amateur pour convaincre tante Ardèle ?

NICOLAS

Moi! *(Il s'est levé soudain, il court comme un fou à
la porte, il tape dessus à coups de poing et crie avant
qu'on ait pu l'en empêcher.)* Tante Ardèle! C'est
Nicolas. Tenez bon. Moquez-vous d'eux. Moquez-
vous de ce qu'ils appellent le scandale. Aimez, tante
Ardèle, aimez qui vous voulez. Ne les écoutez pas.
S'ils ne vous disaient pas que vous êtes trop vieille
et bossue, ils vous diraient que vous êtes trop jeune.
Mais de toute façon, ils essaieraient de vous
empêcher d'être heureuse et d'aimer.

NATHALIE *a bondi près de lui.*

Nicolas, tu es fou! Je te défends! Je te défends de
parler, tu entends? Tu n'as pas le droit!

NICOLAS *se retourne vers elle, flamboyant.*

Tu ne peux plus rien me défendre maintenant
que tu as épousé mon frère! Que veux-tu me
défendre? De leur dire que je t'aimais et que tu
m'aimais et qu'ils nous ont forcés à nous perdre
pour toujours, comme ils veulent la forcer, elle. Et
toujours pour les mêmes raisons : parce qu'il est
trop tôt ou trop tard. Oui, je veux leur dire, oui, je
veux leur dire! Je ne suis revenu ici que pour cela!

LE GÉNÉRAL

Allons bon! Il ne manquait plus que cette
histoire-là maintenant! Nicolas, monte dans ta
chambre! Nous avons fait ce que nous avons cru
être notre devoir.

LE COMTE *crie soudain.*

C'est cela! Montons dans nos chambres! Enfermons-nous tous comme tante Ardèle! C'est ce que nous pouvons faire de mieux! Ne plus nous voir!

NICOLAS

Tante Ardèle, avant qu'ils me fassent taire, vous m'entendez? Il faut aimer. Il faut aimer contre eux, tante Ardèle! Il faut aimer contre tout! Il faut aimer de toutes vos forces pour ne pas devenir comme eux!

LE GÉNÉRAL *lutte avec lui.*

Nicolas, c'est assez maintenant! Je t'ordonne de lâcher cette porte. *(Il réussit à l'arracher de la porte.)* Et de te taire! Je ne sais vraiment pas ce qui me retient de te gifler.

NICOLAS *le regarde et lui dit doucement.*

Moi, je le sais. La honte, papa.

LE GÉNÉRAL *grommelle, vaincu.*

La honte de quoi? D'essayer de mettre un peu d'ordre dans la baraque, d'essayer de faire le moins de mal possible et de vivre tout de même un peu avant de mourir?

A ce moment, la voix crie : « Léon! Léon! » Et presque en même temps, le paon crie aussi dans le jardin : « Léon! Léon! »

LE GÉNÉRAL *explose.*

Allons bon! Le paon et elle! En même temps! Zut! J'en ai assez, moi!

Au milieu de tous ces cris, d'autres cris plus perçants. On entend Ada crier :

VOIX D'ADA

Monsieur Toto! Monsieur Toto! Je vous défends! Mademoiselle Marie-Christine!

Ada entre tentant de séparer Marie-Christine et Toto, qui se battent férocement.

LE GÉNÉRAL *hurle.*

Mais enfin, qu'est-ce qui se passe, mille tonnerres! On ne pourra donc jamais être tranquille dans cette maison?

LA COMTESSE, *qui le voit sur la tête de sa fille, crie.*

Marie-Christine! Mon chapeau!

LE COMTE, *calme.*

Ne criez pas tant. Toto a le mien.

ADA

Monsieur, je n'arrive pas à les séparer, ils se battent comme des chiffonniers!

On se jette sur les enfants, on les sépare.

TOTO *hurle, solidement maintenu.*

On ne se bat pas comme des chiffonniers! Vous n'y comprenez rien du tout! On est mariés! On joue à se faire des scènes!

LE GÉNÉRAL

Des scènes de quoi, bougre d'âne, à grands coups de pied?

TOTO

Des scènes d'amour!

LE GÉNÉRAL

C'est bon. Filez tous les deux immédiatement à la cuisine ou je vous assomme. Et si vous retouchez aux vêtements, vous aurez affaire à moi.

Ada entraîne les deux enfants. A ce moment, le téléphone sonne, strident. Le général va à l'appareil et demande, agacé :

Allô? Qu'est-ce que c'est encore? Comment? Comment? Ah! bon, je vous le passe. C'est pour vous, Gaston.

LE COMTE

Puis-je prendre dans la bibliothèque?

LE GÉNÉRAL

Pas maintenant que j'ai décroché ici. Vous seriez coupés.

LE COMTE *prend l'appareil.*

Après tout, tant pis!

LE GÉNÉRAL

Vous avez raison : tant pis! Il faut que ça éclate! Moi, je n'en peux plus!

La voix là-haut crie encore : « Léon! Léon! »

LE GÉNÉRAL *lui répond exaspéré, sans bouger.*

Oui! Je suis là!

LE COMTE, *à l'appareil.*

Mais, mon chéri, mon tout petit lapin, mais mon tout petit loup, puisque je t'assure, mon tout petit rat...

LA COMTESSE

Assez, Gaston! Vous êtes ridicule avec cette
ménagerie lilliputienne. On vous écoute.

LE COMTE

Mais je t'aime, mon petit, je te jure que je
t'aime! Ne fais pas cela! Ne fais surtout pas cela!
Allô! Allô! Josette! *(Il raccroche précipitamment.)*
Elle a raccroché. Pouvez-vous me procurer une
voiture immédiatement, général?

LE GÉNÉRAL

Je vais faire atteler. Pourquoi?

LE COMTE

Elle vient de boire du laudanum. Ce n'est pas la
première fois qu'elle essaie. Il faut que je file tout
de suite là-bas.

LA COMTESSE

Gaston, vous vous couvrez de ridicule. Vous
croyez donc que cette petite guenon vous aime
assez pour se tuer?

LE COMTE

Assez pour faire semblant, sûrement. Et un beau
jour elle peut très bien ne pas réussir à se rater.
Cela va être trop long d'atteler. Villardieu! Je ne
vous ai jamais rien demandé, mais je crois que vous
me devez bien cela. Il faut que je l'aie fait vomir
avant un quart d'heure. Conduisez-moi avec votre
De Dion.

VILLARDIEU

Soit. Si Liliane le permet. Mais après, vous me
rendrez compte de tout.

LE COMTE

A vos ordres!

LA COMTESSE, *pendant qu'ils sortent.*

Mon pauvre ami, vous êtes lamentable. Allez donc vite le faire vomir, votre tendron. J'ai pitié de vous.

LE COMTE *s'arrête sur le seuil.*

Moi aussi, Liliane, j'ai pitié de nous. Heureusement que nous sommes ridicules, sans quoi cela serait vraiment trop triste, cette histoire.

Il est sorti, suivi de Villardieu. La comtesse hausse les épaules; elle se regarde dans une glace au passage, masse ses rides.

LA COMTESSE

C'est trop bête. C'est vraiment trop bête. Si seulement tout cela ne faisait pas vieillir... Je vais m'étendre, Léon, je suis rompue.

Elle est entrée dans sa chambre. Le général n'a pas bougé. On entend la voix qui crie : « Léon! Léon! »

LE GÉNÉRAL, *machinalement.*

Voilà!

Il monte lourdement les marches et rentre dans la chambre de sa femme. Nicolas et Nathalie sont restés seuls; ils n'ont pas cessé de se regarder depuis tout à l'heure.

NICOLAS

Nous ne pouvons plus nous taire maintenant, Nathalie.

NATHALIE

Tu veux dire que nous ne pouvons plus que nous
taire, au contraire, pour toujours.

NICOLAS

Non. Ce soir, quand ils dormiront tous, je
descendrai, comme autrefois. Je t'attendrai dans le
recoin des jours de pluie, sous l'escalier. Tu
descendras.

NATHALIE, *dans un souffle.*

Non.

NICOLAS

Si. Tu dis non, mais tu trembles, Nathalie. Tu
m'aimes. Et mon frère est un voleur que je méprise.
Tu descendras.

> *Le noir se fait brusquement.*
> *Une faible lueur revient. C'est la nuit. La*
> *scène est vide. Il pleut à torrents dehors.*
> *Pendant quelques instants, on entend seulement*
> *le bruit de la pluie. Puis une ombre s'avance en*
> *bas. Elle s'immobilise soudain et se dissimule*
> *dans les replis d'une tenture. Un craquement :*
> *Toto paraît dans sa longue chemise de nuit, sur*
> *la galerie. Il écoute un instant à la porte du*
> *général, puis descend, se dirige vers la porte du*
> *vestibule et disparaît. L'ombre sort de sa*
> *cachette. C'est Nicolas, étonné du manège de son*
> *petit frère. Il observe un instant la porte du*
> *vestibule et vient se blottir dans un recoin où il y*
> *a un petit divan sous l'escalier. Toto reparaît*
> *bientôt, toujours en chemise de nuit, mais*
> *surchargé de chapeaux, de cannes, de vêtements*
> *qu'il a été voler dans l'entrée. Il rentre dans sa*

chambre. *Nicolas le suit des yeux, intrigué. Il
allume une cigarette. A la lueur de l'allumette,
on le voit sourire du manège de Toto. Tout
retombe dans l'ombre et le silence. Une pendule
sonne onze ou douze coups, on n'en est pas sûr,
quelque part dans la maison.*

*Une silhouette paraît alors dans le jardin :
c'est le comte qui rentre, trempé, les pantalons
retroussés, en imperméable, avec un parapluie et
son canotier. Sa silhouette est légèrement ridicule. Il tâtonne un peu à la porte pour trouver le
commutateur. Nicolas a éteint sa cigarette et
s'est enfoncé sous l'escalier. Le comte a enfin
trouvé le bouton ; une pâle lueur venant d'une
torchère, un amour de bronze au pied de
l'escalier, éclaire faiblement la scène. Le comte
referme son parapluie mouillé, le pose et commence à monter sur la pointe des pieds, passant
devant Nicolas sans le voir. Comme il arrive sur
la galerie, la porte de la comtesse s'ouvre, elle
paraît sur le seuil, en déshabillé.*

LA COMTESSE, *à mi-voix.*

C'est vous ?

LE COMTE

Oui.

LA COMTESSE

Dans quel état !

LE COMTE

Il pleut beaucoup et je me suis trompé de chemin
pour revenir.

LA COMTESSE

Vous allez prendre mal.

LE COMTE

Je n'aurai pas cette chance.

Il fait un pas, la comtesse interroge.

LA COMTESSE

Alors?

LE COMTE *la regarde.*

Qu'est-ce que cela peut vous faire? Elle est hors de danger.

LA COMTESSE *demande avec une nuance d'ironie.*

Et consolée?

LE COMTE

C'est une autre histoire qui n'a pas à vous intéresser. Si vous le voulez bien, je vais m'étendre sur le divan de cuir de la bibliothèque.

Il fait un pas.

LA COMTESSE

Gaston, je suis jalouse et votre liaison avec cette petite cousette m'agace. Mais je suis mal à l'aise quand vous souffrez.

LE COMTE

Je ne suis pas très heureux non plus de vous faire mal. Mais cette petite m'aime maintenant. Elle n'est pour rien dans nos histoires, et sa souffrance, même si elle vous paraît disproportionnée, m'est intolérable. C'est à cause de votre jalousie sans

amour, de vos exigences insupportables qu'elle a bu
ce poison ce soir.

LA COMTESSE

Enfantillage! Elle a pris soin de vous avertir pour
que vous arriviez à temps.

LE COMTE

Sans doute, mais c'est très ennuyeux tout de
même de se tordre et de vomir. Nous n'avons
jamais pris ce risque ni l'un ni l'autre. Je voudrais
bien ne plus faire de peine à personne, jamais.
Bonne nuit, Liliane.

Il fait un pas; la comtesse l'arrête.

LA COMTESSE

Gaston, avez-vous remarqué que nous ne nous
parlions plus? Je sens depuis longtemps le besoin
d'une conversation intime avec vous.

LE COMTE

L'endroit est mal choisi. Villardieu couche au
bout de la galerie.

LA COMTESSE

Entrez dans ma chambre.

LE COMTE, *sincèrement épouvanté.*

A cette heure et vous dans cette tenue? Vous n'y
pensez pas! S'il nous surprenait, cela ferait toute
une histoire. Nous ne pouvons pas.

LA COMTESSE

Il faut absolument que je vous parle longuement,
un jour, seule à seul. De retour à Paris, il faudra

nous donner rendez-vous dans un petit thé tranquille.

LE COMTE

Vous savez bien que vous ne pourrez jamais vous
échapper, ma chère. Et puis, il n'y a pas de petits
thés tranquilles. On y rencontre toujours quelqu'un. C'est trop risqué, Liliane, renonçons-y.

LA COMTESSE

Eh bien! à Trouville, en rentrant. Prenez un
fiacre fermé et attendez-moi devant la gare. Je
mettrai une voilette épaisse et je m'arrangerai pour
sortir.

LE COMTE

Si on nous surprend, nous aurons l'air malins!

LA COMTESSE

Vous êtes mon mari, après tout!

LE COMTE

Après tout, justement, voilà le drame. Non,
Liliane, il ne faut pas jouer avec le feu. Pensez à
Marie-Christine! Vous n'avez pas le droit de
risquer le scandale. Votre vie est tracée maintenant.
Soyez raisonnable, rentrez dans votre chambre.
Attention!

> *Villardieu a soudain ouvert la porte de sa
> chambre. Il paraît sur le seuil, inquiet, en robe
> de chambre. La comtesse rentre précipitamment
> dans sa chambre avec un petit cri effrayé.*

VILLARDIEU

Ainsi, tous mes soupçons sont fondés?

LE COMTE *lui sourit.*

Mais non, Villardieu. Dormez tranquille. Je vais m'étendre sur le divan de cuir de la bibliothèque.

VILLARDIEU

Nous nous battons toujours après-demain?

LE COMTE, *gentiment.*

Si vous voulez.

Il descend et disparaît dans la bibliothèque. Villardieu rentre dans sa chambre. La maison est replongée dans le silence. Alors paraît Ada en chemise, un peignoir sur les épaules, venant de l'office, portant un bougeoir. Elle monte l'escalier, pieds nus, ses souliers à la main, et entre dans le petit bureau du général. Aussitôt, celui-ci sort de la chambre de sa femme et entre silencieusement derrière elle dans le bureau. Le silence encore. On n'entend plus que la pluie dehors, puis une pendule qui sonne un quart. Nathalie paraît sur la galerie; elle est encore habillée. Elle écoute un peu, puis descend rejoindre Nicolas.

NATHALIE

Ils ont ouvert des portes jusqu'à tout à l'heure, je n'osais pas descendre.

NICOLAS, *dans un souffle.*

Tu es là.

NATHALIE

Oui, mon chéri.

NICOLAS

C'est encore il y a deux ans. Tu es venue passer

tes vacances au château comme chaque été. Nous
avons jusqu'au mois d'octobre pour être heureux.
Je serai grand un jour, je serai grand, tu verras.

NATHALIE

Tu es grand, Nicolas.

NICOLAS

Et tu es la femme de mon frère.

NATHALIE

Ne parle plus. Tiens-toi contre moi. Écoute. La
pluie s'est arrêtée. Quel silence soudain. J'entends
ton cœur. J'ai peur. S'ils descendaient, ce serait
terrible.

NICOLAS

Ada est montée rejoindre mon père. Gaston s'est
couché dans la bibliothèque. Ils ont autre chose à
faire qu'à penser à nous.

NATHALIE

Ils sont laids tous. Et en descendant te rejoindre,
je me sentais laide comme eux.

NICOLAS

Non.

NATHALIE

Si. Tu me tiens contre toi comme autrefois et je
tends l'oreille au moindre bruit comme une coupable. J'ai peur, comme ton père avec cette fille, de
m'entendre appeler soudain.

NICOLAS

Maxime est au Tonkin. Il s'amuse en ce

moment, là-bas, avec une petite putain jaune. Ce n'est pas un homme à perdre une nuit, lui.

NATHALIE *se détourne.*

Ne parle plus de lui.

NICOLAS

Voleur! Avec ses grandes mains d'homme, son sourire, son assurance, ses galons de capitaine... Elles le regardaient toutes toujours, elles rougissaient quand il s'approchait d'elles au bal. Du cran, mon petit Nicolas! Tu ne sais vraiment pas t'y prendre. Voleur!

NATHALIE

N'aie plus mal, mon petit, n'aie plus mal. Pose ta tête sur mes jambes.

NICOLAS

Il t'a touchée.

NATHALIE

Tais-toi.

> *Un silence. Nicolas demande comme un enfant.*

NICOLAS

Pourquoi l'as-tu accepté, Nathalie?

NATHALIE

J'avais refusé tous les autres. Tu étais tout petit, prisonnier dans ton collège, et ma tante n'en pouvait plus de me garder. Ses plaintes tous les jours. Son éternel livre de comptes depuis des mois... Mes gants troués, mes manteaux chiche-

ment retournés, ma maigre portion à table, je les ai
payés de mon esclavage humiliant aussi longtemps
que je l'ai pu. Je lui ai lu tous ses livres de piété, je
me suis levée la nuit pour ses pots et ses remèdes,
mal fagotée, mal nourrie — et reconnaissante, bien
sûr! — tant que j'ai pu. Tant que je n'ai pas senti
que c'était mon âme qui allait mourir. Et puis un
jour, où elle m'a insultée pour une tisane renversée,
j'ai compris que, si je t'attendais encore des années,
celle que tu retrouverais quand tu serais enfin
devenu un homme, ce ne serait plus moi. C'est
alors que ton frère m'a remarquée, je me demande
pourquoi — entre deux maîtresses — et je l'ai
préféré aux autres, pour ne pas te perdre tout à fait.

*Il y a un silence. Nicolas la serre soudain plus
fort contre lui.*

NICOLAS

Nathalie, je suis grand maintenant, et moi, je t'ai
attendue. Les autres se moquaient de moi. Même
quand j'ai su le mariage, j'ai attendu parce que je
savais que ce soir arriverait. Maxime t'a eue entre
cent autres femmes et moi, je n'ai jamais touché
que toi.

NATHALIE

Lâche-moi, Nicolas!

NICOLAS

Ce n'est pas parce qu'ils ont écrit vos noms sur
un registre, parce qu'un prêtre a bredouillé, en
pensant à autre chose, des mots en série, devant
vous, que tu es devenue sa femme.

NATHALIE

Non. Mais c'est parce que je l'ai accepté. Et ce

oui, qui n'était qu'un mot pour lui sans doute, m'a
liée, moi, envers moi-même. Je n'aime que toi,
Nicolas, mais je ne serai jamais à toi. Lâche-moi, il
faut que je remonte.

> *Elle s'est levée, il la prend dans ses bras, la
> plaque à lui.*

NICOLAS

Non.

NATHALIE

Lâche-moi, je te l'ordonne. Lâche-moi, je t'en
supplie.

NICOLAS

Non. Cela a été long, mais c'est tout de même
arrivé à force d'user les jours. Rattrapé, Maxime!
Nous sommes deux hommes, l'un en face de l'autre,
maintenant. Et s'il faut le tuer pour te reprendre, je
le tuerai.

> *Il l'embrasse. Elle se dégage vite et lui prend
> la tête à deux mains, pleine de tendresse.*

NATHALIE

Nicolas. Mon tout petit Nicolas. Il me semble
que tu es plus petit encore depuis que tu es devenu
si fort. Je te jure que c'est impossible.

NICOLAS

Pourquoi? Parce qu'il t'a prise le premier, sans
amour?

NATHALIE *secoue la tête.*

Non, mon chéri.

NICOLAS *crie.*

Pourquoi alors?

NATHALIE, *effrayée,*
lui met la main sur la bouche.

Je ne pourrai jamais te le dire. *(Elle sursaute
soudain et murmure :)* Attention!

> *Elle l'a tiré violemment dans l'ombre de
> l'escalier, elle observe la nuit. Nicolas demande :*

NICOLAS

Qu'est-ce que c'est?

NATHALIE

Un homme dans le jardin. Regarde.

NICOLAS

C'est impossible. Gaston est rentré. Papa et
Villardieu sont là-haut.

NATHALIE

Parle plus bas. Il hésite. Il va d'arbre en arbre
comme un voleur.

NICOLAS

Tu rêves. Il n'y a pas de voleurs dans ce pays.

NATHALIE

C'est un homme qui connaît la maison. Dans
l'ombre, il ne peut pas voir le massif et il le
contourne. Il va droit à la terrasse; on dirait qu'il
fait un signe.

NICOLAS

A qui? Il approche. Il va entrer. J'ai ma
baïonnette au portemanteau.

NATHALIE

Non. Ne bouge pas. Tais-toi. Maintenant, je
crois le reconnaître. Mon Dieu, c'est lamentable...
C'est lui!

NICOLAS

Qui, lui?

NATHALIE, *dans un souffle.*

Le bossu!

> *Un instant de silence, puis un homme, ombre
> hésitante et contrefaite, enveloppée d'une grande
> cape à capuchon, paraît à la porte-fenêtre.*
> *Il entrouvre sans bruit, observe un instant la
> pièce déserte et silencieuse, puis monte, s'arrê-
> tant à chaque marche. Quand il est arrivé en
> haut, la porte de tante Ardèle s'ouvre toute
> grande en silence sur la chambre obscure; le
> bossu disparaît.*

NATHALIE *murmure.*

Il est venu rôder autour de la maison comme les
vieux chiens pelés quand on enferme Diane. Il lui a
fait signe à la fenêtre. Elle savait qu'on avait oublié
de refermer la porte et elle lui a ouvert. Ah! c'est
trop laid! Tout est trop laid. Ne me touche plus
maintenant.

NICOLAS

Pourquoi?

NATHALIE

Eux là-haut, ils se touchent. Ils sont dans les bras
l'un de l'autre. C'est laid, l'amour.

NICOLAS

Tu blasphèmes. Leur amour est laid. Pas le
nôtre.

NATHALIE

C'est le même. Notre amour d'avant était pro-
fond et pur comme un matin d'été. Mais si nous
nous aimions maintenant en nous cachant, ce serait
laid, ce serait comme eux. Repars, Nicolas, repars
vite. Et ne reviens qu'avec une autre femme, un
jour.

NICOLAS

Nathalie, tu es folle! Nous sommes jeunes, nous
sommes beaux. Nous nous aimons depuis que nous
sommes petits. Oublie tous ces fantoches mépri-
sables. Nous sommes les seuls dans cette maison à
avoir le droit d'aimer.

NATHALIE

Plus maintenant! Lâche-moi. Ne me tiens plus
dans tes bras. Je t'en supplie. *(Elle se frotte soudain
le visage.)* Oh! je voudrais que tu ne m'aies pas
embrassée!

NICOLAS

Mais, Nathalie, tu rêves! c'est moi, c'est moi qui
suis là. C'est Nicolas, je suis à toi et tu es à moi,
depuis toujours, et rien ne peut être laid entre nous.

*Il a voulu la reprendre; elle recule farouche
en criant.*

NATHALIE

Si!

NICOLAS *est devant elle, désemparé,*
les bras ballants, il murmure.

Nathalie, nous nous serrions l'un contre l'autre,
autrefois, le soir, sur la pelouse, et nous étions trop
petits, mais tu jurais que tu serais à moi.

NATHALIE *crie.*

Plus maintenant! Pas à toi aussi!

NICOLAS

Que dis-tu?

NATHALIE, *doucement, soudain.*

Nous ne sommes plus petits, Nicolas. Je ne
voulais pas te le dire, mais peut-être est-ce mieux
que tu saches... Mon cœur est plein de toi, mon
chéri, et Maxime me fait horreur, mais quand il
m'a prise dans ce lit le premier soir, moi qui croyais
mourir de haine et de mépris, j'ai aimé, j'ai gémi de
joie sous lui. La tête renversée, les yeux perdus,
abandonnée, attentive à moi seule, je t'ai oublié
jusqu'au matin.

NICOLAS *crie comme un fou.*

Nathalie!

NATHALIE

Le matin, j'ai voulu me tuer de dégoût. Mais je
ne me suis pas tuée et j'ai attendu, humblement,
que revienne l'autre nuit. Et j'attends depuis. Je te
l'ai dit maintenant, c'est fini.

*A ce moment, le cri éclate là-haut, plus
perçant que jamais : « Léon! Léon! Léon! »
Les cris ne s'arrêtent plus. La porte de la
générale s'ouvre, rejetée avec force. Elle surgit
soudain, terrible, échevelée, en caraco de nuit,
serrant convulsivement un fichu de laine sur ses
épaules. Elle va jusqu'à la rampe de la galerie,
s'égosillant dans le silence.*

LA GÉNÉRALE

Léon! Léon! Léon! Léon!

*Nathalie et Nicolas se sont figés. Le premier,
le comte paraît sur le seuil de la bibliothèque, à
demi vêtu, puis Villardieu en robe de chambre,
la comtesse en déshabillé qui crie, affolée, en la
voyant.*

LA COMTESSE

Amélie!

*Le général paraît enfin, achevant de mettre sa
grande robe de chambre rouge sur sa chemise de
nuit ; derrière lui, par la suite, Ada se montrera,
curieuse, les cheveux épars, moulée dans sa
longue chemise, sur le seuil du petit bureau.*

LE GÉNÉRAL

Qu'est-ce qui se passe, sacrebleu? Rentre tout de
suite, Amélie!

*La générale hurle, se débattant, cramponnée à
la rampe.*

LA GÉNÉRALE

Pas dans ma chambre! Ils sont là à côté. Je l'ai
entendu, je l'ai senti. Je sens toujours. Depuis dix

ans que je guette, depuis dix ans que j'écoute de
mon lit. Même si je dors quand tu te lèves, à la
minute où tu prends cette fille, à côté, je me
réveille.

LE GÉNÉRAL, *pour tenter de dire quelque chose.*

Quelle fille? Je ne te comprends pas! Rentre
donc!

LA GÉNÉRALE *continue.*

Je peux te dire la minute. Je peux te la dire pour
le chien qui va dans la cour de la ferme, la nuit,
chercher la chienne en chaleur; je peux te dire le
jour où on amène le taureau au village et toutes les
bêtes des bois, sous la terre, dans les herbes, dans
les arbres. Vous croyez que je dors toute la nuit. Je
les écoute, je les guette, je les sens!

LE GÉNÉRAL

Rentre, Amélie!

A ce moment, le paon appelle dans le jardin :
« Léon! Léon! »

LA GÉNÉRALE *se débat.*

Non, je ne rentrerai pas! Le paon appelle lui
aussi. Et les belettes et les blaireaux et les fouines et
les renards dans la clairière et les insectes, les
millions d'insectes, en silence, partout. Tout jouit
et s'accouple et me tue. Je sais quand les fleurs
même se détendent soudain et s'entrouvrent, obs-
cènes, au petit matin. Tous ignobles, vous êtes tous
ignobles avec votre amour. Le monde est ignoble et
il n'en finit plus. Arrêtez-les! Arrêtez-les tous les
deux! Je ne suis pas folle : je sais qu'on ne peut pas
arrêter toutes les bêtes dans les bois, toutes les

bêtes de la terre qui grouillent les unes sur les
autres, toute la nuit. Mais vous, arrêtez-vous, au
moins, de vous flairer comme des chiens autour de
moi. Arrêtez-les tous les deux à côté. Arrêtez-les
tout de suite ou je vais me mettre à hurler!

LE GÉNÉRAL

Mais arrêter qui, sacrebleu? Rentre, Amélie.
Ada, préparez-lui son gardénal.

LA GÉNÉRALE

Je ne veux pas de gardénal encore. Ils sont là. Ils
sont là! Je vous dis de les arrêter!

LE GÉNÉRAL

Mais c'est la chambre d'Ardèle, voyons! Elle y
est seule.

LA GÉNÉRALE

Non. Elle n'est pas seule. Je les entends, je les
vois tous les deux!

LE GÉNÉRAL

Tonnerre de Brest! Qu'est-ce que tu racontes!
(Il s'est précipité sur la porte.) Ouvre, Ardèle!
Ouvre immédiatement. Tu entends bien qu'Amélie
a une crise. Ouvre tout de suite ou j'enfonce la
porte. *(Il écoute et appelle :)* Ardèle!

LA GÉNÉRALE *monologue, très vite, bafouillant, en même temps que le général.*

C'est pour cela que je suis devenue folle, à force
de vous sentir tous autour de moi, à force de te
sentir, toi, avec tes yeux, avec ton nez, avec tes
mains, avec les poils de ta figure, avec les pores de
ta peau, à les désirer toutes, toujours. Toutes les

femmes! Celles que j'étais obligée d'inviter à dîner,
et celles qui passaient dans la rue. Celles qui te
frôlaient au théâtre; celles qui étaient photogra-
phiées sur les journaux — et tu faisais semblant de
lire l'article, mais c'étaient elles que tu regardais —
et comme celles que tu pouvais voir avec tes yeux
ce n'était pas assez encore, toutes celles que tu
imaginais. Tu me parlais; j'avais réussi à te traquer
dans ma chambre et il n'y avait personne à
regarder, que moi, mais ton œil fixé sur moi faisait
l'amour quelque part, avec une femme inconnue.
Le monde entier grouillait de femmes avec des
chapeaux, des éventails, des sourires, des paroles,
des faux-semblants, mais toujours leur sexe offert
comme un fruit pour toi, entre les jambes. Et leur
odeur, leur puanteur de femmes autour de nous,
partout. J'ai guetté, j'ai tellement guetté pendant
tant de jours que j'ai appris à reconnaître celles que
tu désirais, à les renifler comme toi, avant toi,
quelquefois; à faire l'amour moi aussi, avec elles!

LE GÉNÉRAL

Allons. C'est assez, Amélie. J'ai passé ma vie à
ton chevet, tu le sais bien. Tu divagues. Rentre. Il
faut dormir. Il est tard.

LA GÉNÉRALE, *qu'on pousse*
vers sa chambre, psalmodie.

Toutes! Toutes! Toutes! Toutes! Mme Liétar,
les sœurs Pocholle, Gilberte Swann, la Malibran et
Odette de Donnadieu, Clara Pompon, la danseuse
du Grand-Théâtre de Bordeaux, la femme de la
cantine au Maroc et toutes, toutes les locataires de
l'immeuble du boulevard Raspail!

LE GÉNÉRAL, *qui la pousse vers la chambre,*
lui répond à chaque fois.

Mais non, mais non, tu ne sais pas ce que tu dis.
Rentre.

LA GÉNÉRALE

Si, toutes, toutes, toujours! Je ne pouvais jamais
être tranquille. Même celles que je n'aurais jamais
cru. Les femmes des livres qui étaient mortes
depuis cent ans; la petite fille le jour de la
distribution des prix; le jour de la prise de voile de
Marie-Louise, la supérieure des Clarisses, en pleine
cérémonie — et le jour, le jour de la revue de
Longchamp, où tu t'es précipité pour baiser la
main de Mme Poincaré!

LE GÉNÉRAL

Mais non. Mais non. C'est grotesque. Poincaré
m'avait fait signe. Tu rêves, voyons, tu rêves.
Rentre.

LA GÉNÉRALE,
qui est devenue une pauvre chose pitoyable,
murmure tandis qu'on la pousse vers sa chambre.

Je sais, moi, je guette, je guette, toujours!
(Comme on va la faire rentrer, deux coups de feu
éclatent soudain tout près, immobilisant tout le monde.
La folle seule semble ne pas avoir entendu et continue
à psalmodier :) Je guette, je guette, je guette!

LE GÉNÉRAL *bondit.*

Qu'est-ce que c'est, sacrebleu? Occupez-vous
d'elle! Cette fois, il faut enfoncer la porte!

Le comte, Villardieu et le général se jettent
sur la porte d'Ardèle. On les entend souffler. Ils

sont ridicules et inopérants. *Ils se bousculent,
cela doit presque être un numéro de clowns,
malgré l'angoisse. Villardieu enfin les écarte,
prend son élan et se jette sur le battant de toute
sa force. La porte cède, il s'écroule avec elle,
lamentable. Le général l'enjambe et disparaît
dans la chambre. Un silence devant la porte
grande ouverte. Villardieu s'est relevé, se frottant l'épaule. Le général reparaît et dit simplement :*

Les imbéciles. Ils se sont tués. Courez vite
chercher un médecin. Il me semble qu'Ardèle
respire encore.

*Villardieu sort en courant. La comtesse et le
comte entrent rapidement dans la chambre
derrière le général. En bas, Nicolas et Nathalie,
qui n'ont pas bougé, se regardent.*

NATHALIE, *doucement.*

Nous n'avons même pas à nous tuer, tu vois. Eux
qui ne devaient que faire rire, ils l'ont fait. Adieu,
Nicolas. Ne pense plus à moi, jamais. Ne pense
plus jamais à l'amour !

*Elle remonte précipitamment et entre dans sa
chambre. Nicolas reste une seconde sans bouger,
puis il sort rapidement par le jardin, derrière
Villardieu.*

La scène reste vide un instant.

*Alors une porte s'entrouvre. Toto passe la
tête, puis Marie-Christine. Voyant que tout est
silencieux, ils s'enhardissent et sortent de leurs
chambres. Ils sont déguisés. Par-dessus leurs
chemises de nuit, ils sont harnachés de boas,
d'écharpes, coiffés de chapeaux à plumes et de
hauts-de-forme. Toto s'est même fabriqué une*

fausse moustache, on ne sait avec quoi. Ce sont tout à coup deux petits hommes dérisoires et grotesques qui s'avancent, faisant des mines. Sur la scène devenue obscure, un projecteur s'est braqué sur eux.

TOTO,
roulant les r pour que ce soit plus passionné.

Ma chérie!

MARIE-CHRISTINE, *l'imitant.*

Mon amour adoré!

TOTO

Ma chère femme! Comme je t'aime!

MARIE-CHRISTINE

Et moi donc, mon petit mari chéri.

TOTO

Pas plus que moi, mon amour!

MARIE-CHRISTINE

Si, mon amour! Dix fois plus!

TOTO

Ah non!

MARIE-CHRISTINE

Ah si!

TOTO

Non! Parce que si tu m'aimais moins, moi, un jour, je te tuerais!

MARIE-CHRISTINE

Non, mon chéri, c'est moi qui te tuerais la première!

TOTO

Non, c'est moi!

MARIE-CHRISTINE

Non, c'est moi!

Ils tapent du pied l'un en face de l'autre, en criant de plus en plus fort.

TOTO

Non, c'est moi!

MARIE-CHRISTINE

Non, c'est moi!

TOTO *l'agrippe soudain.*

Non, je te dis que c'est moi, sale idiote! Puisque c'est moi qui t'aime le plus!

MARIE-CHRISTINE

Non, c'est moi! C'est moi qui t'aime le plus! *(Elle essaie de se dégager.)* Sale brute! Chenille verte! Crétin!

Ils se sont jetés l'un sur l'autre, faisant voler leurs chapeaux. Ils roulent par terre, se mordant et s'arrachant les cheveux.

Le rideau tombe tandis qu'ils se battent sauvagement.

On entend Toto qui crie dans la mêlée, rouant Marie-Christine de coups.

TOTO

Ah! tu ne veux pas que ce soit moi qui t'aime le
plus, imbécile! Ah! tu ne veux pas que ce soit moi
qui t'aime le plus, pisseuse! Ah! tu ne veux pas que
ce soit moi qui t'aime le plus, saleté!

*Le rideau est tombé, les cachant, mais cela
doit continuer derrière...*

FIN D' « ARDÈLE OU LA MARGUERITE »

La valse des toréadors

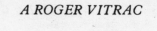

A ROGER VITRAC

PERSONNAGES

LE GÉNÉRAL.

LA GÉNÉRALE, *sa femme.*

ESTELLE
SIDONIE $\Big\}$ *ses filles.*

GASTON, *son secrétaire.*

Mlle DE SAINTE-EUVERTE.

Mme DUPONT-FREDAINE, *belle couturière.*

LE DOCTEUR.

LE CURÉ.

LES BONNES.

ACTE PREMIER

La chambre du général attenante à la chambre de sa femme; souvenirs exotiques, armes, tentures. La porte de communication est ouverte. Le général écrit à sa table. Une voix glapit à côté.

LA VOIX DE LA GÉNÉRALE

Léon!

LE GÉNÉRAL

Oui!

LA VOIX

Qu'est-ce que tu fais?

LE GÉNÉRAL

Je travaille.

LA VOIX

Tu mens! Tu penses. Je t'entends penser. A quoi penses-tu?

LE GÉNÉRAL

A toi.

LA VOIX

Tu mens. Tu penses que les femmes sont belles, qu'elles sont chaudes sous leur jupe et qu'on peut les toucher. La main sous leur jupe et ne plus être seul au monde pendant une minute, tu me l'as dit une fois.

LE GÉNÉRAL

Je ne m'en souviens absolument pas. Dormez, mon amie, vous serez fatiguée tout à l'heure.

LA VOIX

Je ne suis fatiguée, je ne suis malade, qu'à cause de toi! A force de penser, de penser toujours à tout ce que tu es en train de faire.

LE GÉNÉRAL

Allons, m'amie, vous exagérez comme toujours. Depuis que vous êtes malade et cela fait des années déjà, je n'ai pas quitté cette chambre, les fesses sur cette chaise et dictant mes Mémoires ou bien déambulant comme un ours en cage et sans jamais m'éloigner, vous le savez.

LA VOIX

Je ne suis malade qu'à force de penser à tout ce que tu es en train de faire dans ta tête pendant que tu fais semblant de me calmer. Sois franc, hypocrite. Ne me cache rien. Où étais-tu en ce moment dans ta tête? Avec quelle femme? Sur quel divan, dans une chambre que je ne verrai jamais — jamais quoi que je fasse (tu ne seras jamais assez honnête pour m'en faire la description) ou bien dans quelle cuisine, troussant Dieu sait quel souillon qui lave par terre à quatre pattes. Tu es entré sur tes grosses

pantoufles comme un gros chat, tu l'as prise par-
derrière; tu lui mords la nuque, tu as tous ses
cheveux dans la bouche et cela ne te dégoûte pas,
toi qui fais une scène terrible quand tu en trouves
un dans le potage! Et elle n'a même pas lâché sa
serpillière, cette guenon! Dans l'odeur de l'eau de
Javel! Par terre, comme des bêtes! Tu me
dégoûtes, Léon!

LE GÉNÉRAL

Foutre, madame, vous rêvez! Je suis assis à ma
table et j'écris à monsieur Poincaré.

LA VOIX

Il a bon dos, Poincaré! Tu tiens la plume, oui,
mais, dans ta tête, ta main tripote cette fille. Arrête-
toi, Léon, ou tu auras ma mort sur la conscience!
Mais tu n'as donc aucune pudeur, aucun raffinement? Une gringoneuse! Une fille qui ne s'est
même pas lavée, cela t'est donc égal qu'elle soit
sale, qu'elle pue?

LE GÉNÉRAL

Madame, cela me serait effectivement égal; vous
n'y entendez rien comme toutes les femmes. Mais
vous rêvez. J'écris à monsieur Poincaré et je vous
demande de me laisser terminer tranquillement ma
lettre.

LA VOIX *gémit.*

Mais dans ta tête, dans ta tête? Ah! Pourquoi ne
puis-je pas entrer dans ta tête, même une seule
petite fois.

LE GÉNÉRAL

Foutre, madame, vous outrepassez! C'est le seul
endroit où je sois tranquille. Laissez-le-moi.

LA VOIX

J'y viendrai un jour, je t'y surprendrai et je t'y tuerai!

LE GÉNÉRAL

Soit. En attendant, vous l'aurez voulu, m'amie, je suis les conseils du docteur Bonfant et je ferme la porte.

LA VOIX

Léon, je te défends! Léon, tu es un lâche! et le docteur est un assassin! Je vais avoir une crise, Léon!

Malgré les cris de la générale, le général a fermé la porte. Le secrétaire est entré pendant cette expédition punitive.

LE GÉNÉRAL

Impitoyable. Je lui ai fermé sa porte. Ah, mais! Il ne faut tout de même pas croire que j'accepterai toujours tout. Bonjour, mon garçon.

LE SECRÉTAIRE

Mon général.

LE GÉNÉRAL

Vous n'avez pas de femme, vous, jeune homme? Une petite amie, on connaît la chanson, on la rencontre par hasard, on l'emmène à Robinson et dix minutes après on est marié et on habite avec la vieille mère.

LE SECRÉTAIRE

Je suis trop jeune.

LE GÉNÉRAL

Oui, et tout d'un coup vous serez trop vieux. Vous serez en train de dicter vos Mémoires. Et, entre les deux, pffutt! Un tour de cartes. On ne sait pas ce qui s'est passé. Cela vous travaille tout de même, j'espère?

LE SECRÉTAIRE

Oh! non, monsieur. Je sors de chez les Bons Pères. Je suis encore pur.

LE GÉNÉRAL

Bien. C'est triste aussi. La vie sans femme, mon ami, quelle purge! Enfin, c'est encore un problème que monsieur Poincaré ne résoudra pas. Allons-y, où en étions-nous?

LE SECRÉTAIRE

Nous avions fini le chapitre trente. Souhaitez-vous que je vous le relise?

LE GÉNÉRAL

Pas maintenant. Je me sens en forme. J'ai pu m'échapper dix minutes tout à l'heure et faire le tour du jardin. Les rhododendrons embaumaient. Je me suis perdu dans une allée; il faisait frais; j'avais des articulations de jeune homme; personne ne m'appelait; c'était extraordinaire : je me figurais que j'étais veuf. Chapitre trente et un : Mes campagnes d'Afrique. Paragraphe premier : Le Maroc. Jusqu'en 1898, la politique du gouvernement français au Maroc fut une politique de présence. Depuis la visite de l'ambassadeur extraordinaire de Soliman à Versailles au dix-septième siècle et les accords qui furent pris alors entre le Roi-Soleil et le

Sultan, les rapports entre les deux puissances n'avaient pratiquement pas changé. Un autre facteur, cependant, venait depuis le malheureux traité de Francfort influencer dangereusement la politique marocaine : la création de l'Empire allemand, dont les intrigues et les promesses allaient amener le Sultan à raidir son attitude envers nous. Un incident, en apparence insignifiant, devait mettre le feu aux poudres.

> *Entrent Estelle et Sidonie, grandes bringues de près de vingt ans, restées enfants : anglaises, macarons, robes de fillettes ridicules.*

SIDONIE

Papa!

LE GÉNÉRAL

Oui!

SIDONIE

Qu'est-ce qu'on décide pour la Fête-Dieu?

LE GÉNÉRAL

On ne la fête pas. On dira qu'on a oublié. D'abord, tous ces draps de lits aux fenêtres avec des roses épinglées dessus, c'est dégoûtant, cela donne des idées aux enfants.

ESTELLE

Mais, papa, monsieur le curé nous veut en blanc, ma sœur et moi, il nous l'a redit encore hier. Et nous n'avons rien à nous mettre!

LE GÉNÉRAL

Ne mettez rien. Ce sera mille fois plus gai. Cré nom de nom! Où en étions-nous, mon garçon?

LE SECRÉTAIRE

Les rapports du Sultan et du gouvernement français.

ESTELLE

Papa! Nous sommes responsables avec les demoiselles Petitcas du reposoir de la Croix Haute. Nous sommes tes filles et si nous ne sommes pas aussi bien que les autres, on parlera.

LE GÉNÉRAL

On parlera de toute façon. Mettez vos robes de l'année dernière!

SIDONIE

Elles sont trop courtes, nous avons grandi.

LE GÉNÉRAL

Encore? Mais, mille tonnerres, quand vous arrête-rez-vous? Je l'ai assez entendue cette chanson. Est-ce que je grandis, moi?

ESTELLE

On grandit jusqu'à vingt-cinq ans.

LE GÉNÉRAL

Théoriquement. Mais quand on a du tact on s'arrête avant. Un mètre soixante-quinze, cela ne vous suffisait donc pas?

SIDONIE

Nous tenons de maman.

LE GÉNÉRAL

Hélas! Allez passer vos vieilles robes et venez me les montrer.

ESTELLE et SIDONIE

Bien, papa.

Elles sortent.

LE GÉNÉRAL, *les regardant sortir.*

Dieu, qu'elles sont laides! Je ne les marierai jamais.

LE SECRÉTAIRE

Mlles Saint-Pé sont pleines des plus belles qualités morales!

LE GÉNÉRAL

Oui. De quoi martyriser toute une vie le malheureux qui misera là-dessus. Mais rien pour appâter, voilà le hic, mon garçon. C'est fichu comme l'as de pique; cela se coiffe comme balai de crin et, une fois que cela a levé le petit doigt en buvant sa tasse de thé comme sa mère, cela se figure avoir atteint le summum de la grâce et de la féminité. Brrr! Nous sommes entre nous, mon ami... Aimer tant les jolies femmes et avoir mis cela au monde dans un moment d'égarement. Même pas! Avec la générale, il n'y avait pas de danger de s'égarer. Dans un moment d'inattention.

LE SECRÉTAIRE

Mlle Estelle a une sorte de grâce.

LE GÉNÉRAL

Une sorte, oui. Mais pas la bonne. Et Sidonie n'a rien du tout. Estelle avec ses anglaises braillant du Fauré au piano, c'est le genre artiste de la maman. Sidonie c'est la même aux fourneaux, fabriquant ces fameux petits plats qui gardent les hommes en les faisant grossir jusqu'à ce qu'ils ne puissent franchir la porte. Elles se sont partagées les vertus de la mère : de quoi faire le malheur de deux imbéciles au lieu d'un. Seulement, voilà, les trouverai-je ?

LE SECRÉTAIRE

Certainement, mon général.

LE GÉNÉRAL

Voire, mon ami, voire... Les temps ne sont plus ce qu'ils étaient. Le sous-lieutenant se méfie. Autrefois au bal de la garnison on était sûr d'en coiffer un. Une invitation huit jours plus tard, deux doigts de vouvray, une tarte aux fraises et pourvu qu'on ait cinq ficelles à la manche : on le tenait. Allez donc essayer depuis qu'ils ont gracié Dreyfus ! Même avec des feuilles de chêne, comme moi ! Le grade a perdu son prestige. Ces gaillards veulent des dots et des jolies filles comme les autres. Je ne les marierai jamais. Où en étions-nous ?

LE SECRÉTAIRE

Les rapports du gouvernement et du Sultan.

LE GÉNÉRAL

Hé bien! cela ne marchait pas non plus tout seul. Un beau matin cet animal-là nous escamote deux missionnaires. On leur fait quelques petits ennuis au préalable, et puis on nous les renvoie, cadavres, ficelés comme des saucissons, leurs testicules entre les dents. Je passe sur ce qu'il y avait d'ironique. C'était une insulte au drapeau. On décide l'expédition Dubreuil. Ah! mon ami, la belle campagne ! On s'en est payé pour nos deux ratichons. On en a tué de l'Arabe! Et joliment, à l'arme blanche. On enlevait les douars au petit matin, on éventrait tout : le papa, la maman, la grand-mère et alors mon ami, mon ami, des petites de douze ans comme on les a là-bas : des merveilles! Affolées, toutes nues dans un coin, un petit animal qui sait qu'il va être forcé et qui le désire presque. Deux jeunes seins tendres comme des faons, une croupe, mon cher! des yeux... Et vous, le soldat, le vainqueur, le maître. Le sabre encore à la dragonne; vous avez tout tué, vous pouvez tout; elle le sait et vous aussi. Il fait chaud et sombre dans la tente et vous êtes debout l'un en face de l'autre, sans rien dire...

LE SECRÉTAIRE, *rougissant et haletant.*

Et alors, mon général?

LE GÉNÉRAL, *simplement.*

Qu'est-ce que vous voulez? A cet âge! On n'est pas des brutes. On les remettait aux bonnes sœurs à Rabat.

LE SECRÉTAIRE

Et vous ne les revoyiez jamais?

LE GÉNÉRAL

Quelquefois, plus tard, en présidant la distribution des prix, de loin! Elles leur avaient appris des cantiques et à ne pas parler aux messieurs. C'est toujours comme ça, les bonnes actions! *(Entre le docteur Bonfant.)* Ah! Voilà le docteur Bonfant qui vient visiter sa malade. Laissez-nous un peu, mon garçon, je vous rappellerai. Bonjour, docteur. *(Le secrétaire ramasse ses papiers et sort. Le général le regarde sortir.)* Un beau gaillard, n'est-ce pas? Aurait fait un joli dragon s'il n'avait pas eu une vocation de puceau. Superbe écriture cependant et

pas bête. C'est le curé qui me l'a trouvé. C'est un
enfant de l'Assistance qu'un de ses confrères a
élevé.

LE DOCTEUR

Bonjour, mon général. Comment va notre grande
nerveuse ce matin?

LE GÉNÉRAL

Comme hier, comme demain sans doute. Où en
est la médecine de son côté?

LE DOCTEUR

Au même point. On a trouvé d'autres termes
beaucoup moins vagues que les anciens pour désigner
les mêmes malaises. C'est un grand progrès linguis-
tique. Pas de scène entre vous aujourd'hui?

LE GÉNÉRAL

Une petite sur le thème habituel. Mais j'ai suivi
vos conseils : j'ai fermé la porte.

LE DOCTEUR

Parfait. Et elle s'est tue?

LE GÉNÉRAL

Elle a dû continuer derrière mais je ne l'entendais plus. Je ne sais pas si cela la calme mais, à moi,
cela me fait beaucoup de bien.

LE DOCTEUR

Cette paralysie des membres inférieurs, je vous
l'ai dit, est d'origine purement nerveuse, comme le
reste. Le processus mental est très simple : toujours
bien entendu à la limite du conscient : je ne marche
plus pour exciter sa pitié et qu'il ne puisse plus me

quitter. Vous avez dû lui en faire voir de drôles
pour l'amener là, général ?

LE GÉNÉRAL

Pas tant, docteur, pas tant. Les hommes en font
toujours, en définitive, beaucoup moins qu'on ne le
croit. D'abord, j'ai beaucoup aimé ma femme au
début. Oui, cela me paraît maintenant aussi curieux
que de m'être passionné pour une collection de
timbres à quinze ans. Mais c'est un fait, nous avons
eu quelques belles années... Enfin belles !... Avant
de verser dans la bigoterie et les confitures, Amélie
a eu un certain tempérament. Nous avons énormément souffert, comme on dit. La scène quotidienne
comme le désir, les coups d'ongles sur la joue et
personne ne veut croire que c'est le chat, un certain
nombre d'assiettes brisées, les gifles, les sanglots,
les tentatives de suicide soigneusement ratées, la
réconciliation classique sur le lit poissé de nos
pleurs, la nuit de sommeil compromise par la
tendresse et l'abandon d'un corps moite qui vous a
choisi, aussi, comme oreiller, — et les premiers
reproches, en sortant de la première étreinte, avec
le café au lait du matin. L'amour, quoi !... Vous
savez que ma femme était cantatrice. Elle beuglait
la *Walkyrie* à l'Opéra. L'épousant, je lui fis
renoncer au théâtre, pour mon malheur. Elle devait
continuer à jouer pour moi tout seul. Une représen-
tation à son bénéfice qui dure depuis plus de vingt
ans — cela vous use le spectateur. Alors je me suis
mis à tirer quelques carottes, bien sûr. Des bonnes,
des serveuses de restaurant, tout ce que peut se
permettre, entre deux portes, un homme qui est
très surveillé. J'y ai gagné quelques gonocoques,
l'usage de l'onguent gris et le dégoût de moi-même.
Et j'ai vieilli doucettement. D'abord un peu trop

d'estomac, puis le ventre qui vient comme les cheveux s'en vont, et la manche qui s'entortille d'année en année de plus en plus de ficelle dorée. Et sous ce déguisement de carnaval un cœur de vieux jeune homme qui attend toujours de tout donner. Mais comment se faire reconnaître sous ce masque? C'est ce qu'on appelle une belle carrière.

LE DOCTEUR

Et si je vous racontais à peu près la même histoire, général?

LE GÉNÉRAL

Cela ne me consolerait pas du tout. Du moins Mme Bonfant n'a pas décidé sur le tard de vous aimer comme une folle et de mourir d'amour pour vous.

LE DOCTEUR

Elle m'a épargné cette épreuve, mais elle se rattrape autrement.

LE GÉNÉRAL

J'étais entraîné au reste. La haine on s'y fait. Pas à ce qu'elle appelle l'amour.

LE DOCTEUR *conclut en se levant.*

Hé bien! je vais lui prendre sa tension artérielle. De toute façon, cela ne lui fera pas de mal. Elle l'a d'ailleurs toujours excellente. Elle mange?

LE GÉNÉRAL

Comme vous et moi. Je ne vous accompagne pas. Je vais profiter de votre présence auprès d'elle pour aller faire un petit tour de jardin, comme un jeune homme. Ne le lui dites pas, elle m'accuserait de la tromper avec une fleur.

> *Le docteur entre chez la générale. Le général sort de son côté.*
> *La scène reste vide un instant. On entend une romance d'amour italienne chantée dehors par le secrétaire. Puis la bonne introduit une femme empanachée et couverte de voiles de voyage.*

LA BONNE

Il est bien tôt, madame. Je pense que Monsieur fait un petit tour de jardin.

MADEMOISELLE DE SAINTE-EUVERTE

C'est lui qui chante? On dirait sa voix.

LA BONNE

Oh! non, madame, Monsieur ne chante pas des chansons comme ça. C'est le secrétaire. Je vais demander à Monsieur s'il peut recevoir Madame.

MADEMOISELLE DE SAINTE-EUVERTE

Mademoiselle.

LA BONNE

Pardon, mademoiselle. Qui dois-je annoncer, Mademoiselle?

MADEMOISELLE DE SAINTE-EUVERTE

Mademoiselle de Sainte-Euverte.

LA BONNE

Bien, mademoiselle.

La bonne sort. Mlle de Sainte-Euverte fait le tour du salon, touchant les meubles du bout de son ombrelle.

MADEMOISELLE DE SAINTE-EUVERTE

Rien n'a changé ici. *(Elle passe sa main sur un meuble.)* Toujours autant de poussière, le pauvre ami a bien besoin de quelqu'un. *(Elle écoute un peu la chanson et murmure.)* C'est étrange, on dirait sa voix.

La chanson s'est tue. Le général paraît sur le seuil et s'arrête, confondu.

LE GÉNÉRAL

Ghislaine!

MADEMOISELLE DE SAINTE-EUVERTE

Léon!

LE GÉNÉRAL

Vous ici?

MADEMOISELLE DE SAINTE-EUVERTE

Moi. Oui. Et la tête haute.

LE GÉNÉRAL

Mais cela va faire toute une histoire!

MADEMOISELLE DE SAINTE-EUVERTE

Je suis venue pour qu'elle ait lieu.

LE GÉNÉRAL *se rapproche, épouvanté.*

Attention, elle est dans la chambre à côté.

MADEMOISELLE DE SAINTE-EUVERTE

Seule?

LE GÉNÉRAL

Elle est avec le docteur.

MADEMOISELLE DE SAINTE-EUVERTE
a un petit ricanement.

Je m'en doutais! Je vous dirais. D'abord que je vous regarde, Léon!

LE GÉNÉRAL

Ghislaine! Vous!

MADEMOISELLE DE SAINTE-EUVERTE

Moi.

LE GÉNÉRAL

Intrépide comme une amazone!

MADEMOISELLE DE SAINTE-EUVERTE

J'ai pris l'express de nuit. J'étais seule dans mon compartiment avec un individu de mine patibulaire qui faisait semblant de lire le journal.

LE GÉNÉRAL, *inquiet.*

Ghislaine!

MADEMOISELLE DE SAINTE-EUVERTE

A un certain moment, il m'a demandé l'heure.

LE GÉNÉRAL, *haletant.*

Le mufle!

MADEMOISELLE DE SAINTE-EUVERTE

Mais je l'ai regardé de telle façon qu'il a tout de suite compris; il m'a même dit merci comme si je lui avais vraiment dit l'heure qu'il était. Il a plié son journal et il s'est endormi. Ou peut-être feignait-il de dormir... Mais j'étais tranquille, j'étais armée. Ce petit revolver à crosse de nacre que vous connaissez, Léon.

LE GÉNÉRAL

Vous l'avez encore, Ghislaine?

MADEMOISELLE DE SAINTE-EUVERTE

Il eût fait un geste, il eût seulement touché le bas de ma robe, je l'abattais et je me tuais ensuite. Je voulais arriver pure jusqu'à vous.

LE GÉNÉRAL

Merci, Ghislaine.

MADEMOISELLE DE SAINTE-EUVERTE

Il est descendu à Marmande. A Castelnaudary j'ai frété un break. Dissimulée sous mes voiles verts, le conducteur n'a même pas vu mon visage et me voici.

LE GÉNÉRAL

Vous savez bien que c'est impossible, Ghislaine!

MADEMOISELLE DE SAINTE-EUVERTE

Tout est possible maintenant. J'en ai la preuve dans mon réticule. Notre longue attente n'aura pas été vaine, Léon. Dix-sept ans!

LE GÉNÉRAL

Dix-sept ans!

MADEMOISELLE DE SAINTE-EUVERTE

Dix-sept ans depuis le bal du Cadre noir, à Saumur!

LE GÉNÉRAL

Les lampions, Ghislaine, les tziganes! Le commandant de la Place avait trouvé cela trop osé, mais j'avais tenu bon, on les avait fait venir de Paris.

MADEMOISELLE DE SAINTE-EUVERTE

Oh! L'étrange enchantement de cette première valse, Léon!

LE GÉNÉRAL

La Valse des toréadors. (Il fredonne.) Tra la la la, tra la la la, la lère...

MADEMOISELLE DE SAINTE-EUVERTE, *continuant*.

Tra la la la, tra la la la, la la...

LE GÉNÉRAL

Mademoiselle, voulez-vous m'accorder cette valse?

MADEMOISELLE DE SAINTE-EUVERTE

Mais, monsieur, vous n'êtes pas sur mon carnet.

LE GÉNÉRAL

Je m'y inscris d'oftice, mademoiselle. Chef d'escadron Saint-Pé. On ne nous a pas présentés, mais j'ai l'impression que je vous connais depuis toujours.

MADEMOISELLE DE SAINTE-EUVERTE *minaude comme autrefois.*

Mais, commandant, vous êtes d'une audace avec les jeunes filles! Et, alors, tu m'as pris la taille et ta main m'a tout de suite brûlée à travers la soie et le gant. Dès que ta main a touché mon dos je n'ai plus entendu la musique. Tout a tourné.

LE GÉNÉRAL

C'est la valse! Tra la la la, tra la la la, la lère...

Il l'a prise par la taille et esquisse un pas de valse.

MADEMOISELLE DE SAINTE-EUVERTE, *pâmée, la tête renversée.*

C'était l'amour... Tra la la, tra la la, la la...

Estelle et Sidonie apparaissent sur le seuil dans leurs robes de Fête-Dieu trop courtes.

SIDONIE

Papa, nous venons pour les robes.

Le général terrifié lâche soudain Mlle de Sainte-Euverte.

LE GÉNÉRAL

Cré nom de nom! Vous voyez bien que je suis occupé. Mademoiselle est un professeur. Je prends une leçon de danse.

ESTELLE

Il va donc y avoir un bal, papa?

LE GÉNÉRAL, *qui ne sait plus ce qu'il dit.*

J'en organise un. Pour la Fête-Dieu, précisément. *(Il présente.)* Mes filles.

MADEMOISELLE DE SAINTE-EUVERTE

Est-ce possible? Ces charmants bébés?

LE GÉNÉRAL *a un geste.*

Voilà!

MADEMOISELLE DE SAINTE-EUVERTE *a un cri.*

Mais c'était hier!

LE GÉNÉRAL

Elles ont fait très vite. D'ailleurs, vous voyez, leurs robes ne leur vont plus. Mademoiselle est une vieille amie, qui vous a vues toutes petites. Pour les robes, c'est clair : il vous en faut deux neuves. Accordé. Filez chez Mme Dupont-Fredaine ; choisissez le tissu avec elle et qu'elle vienne vous essayer dès cet après-midi.

ESTELLE et SIDONIE, *battant des mains.*

Oh! merci, papa! Merci, petit papa! Nous serons belles à cause de toi, papa!

LE GÉNÉRAL

Enfin, on essaiera. Filez! *(Les jeunes filles sortent, courant, se tenant par la main, mutines.)* Elles sont idiotes et d'une laideur! Nous voilà dans de jolis draps. Dieu sait ce qu'elles vont raconter.

MADEMOISELLE DE SAINTE-EUVERTE,
d'une autre voix,
étrange, soudain.

Mais pourquoi sont-elles si grandes? Ai-je donc vieilli aussi, Léon?

LE GÉNÉRAL

Vous êtes la même, Ghislaine. Une longue tubéreuse brune embaumant dans la nuit des jardins de Saumur.

MADEMOISELLE DE SAINTE-EUVERTE *gémit.*

Mais j'avais dix-huit ans à ce bal!

LE GÉNÉRAL

Il ne faut jamais faire d'additions. *(Il lui prend la main.)* Ta main! Ta petite main prisonnière dans son gant. Te souviens-tu de la meringue chez Rumpelmayer il y a six ans?

MADEMOISELLE DE SAINTE-EUVERTE

Non. Pendant tout 1904, nous n'avons pas pu nous rencontrer, Léon. C'était en 1903, la meringue.

LE GÉNÉRAL

J'en mangeais les petits morceaux sur tes doigts.

MADEMOISELLE DE SAINTE-EUVERTE

Tu étais déjà d'une audace. Il n'y avait pourtant pas tant d'années que nous nous connaissions.

LE GÉNÉRAL

Pourquoi compter? Tout cela a duré huit jours. Tes doigts sentent encore la meringue.

LA BONNE *entre.*

Monsieur.

LE GÉNÉRAL, *sursautant*
et lâchant Mlle de Sainte-Euverte.

Quoi, monsieur?

LA BONNE

La nouvelle est là.

LE GÉNÉRAL

La nouvelle quoi?

LA BONNE

La nouvelle pour remplacer Justine.

LE GÉNÉRAL

Mais saperlipopette! Vous voyez que je suis occupé. Je n'ai pas le temps d'aller choisir une femme de chambre. Engagez-la. *(Il se ravise.)* Comment est-elle? Ce n'est pas un pou tout de même?

LA BONNE

Oh ça non! Une belle fille rousse, un peu grasse.

LE GÉNÉRAL, *rêveur.*

Un peu grasse... Engagez-la.

La bonne sort.

MADEMOISELLE DE SAINTE-EUVERTE

Léon, je voudrais tant vous aider. Tout cela n'est pas le rôle d'un homme. Vous allez prendre n'importe qui. Voulez-vous que je voie cette fille, moi, et que je lui demande ses certificats?

LE GÉNÉRAL

Merci, Ghislaine. C'est inutile. D'après ce qu'on me dit, elle est sûrement très bien et, depuis qu'Amélie est malade, j'ai pris l'habitude de m'occuper de tout dans cette maison. D'ailleurs, nous avons des décisions à prendre. Votre présence ici est impossible, vous le savez, mon amour.

MADEMOISELLE DE SAINTE-EUVERTE

Pourtant, cette fois, je suis décidée à rester.

LE GÉNÉRAL

Que dites-vous?

MADEMOISELLE DE SAINTE-EUVERTE, *solennelle.*

Léon! Voilà si longtemps que je me tais et que j'attends, me gardant pour vous. Si je vous apportais ce matin la preuve formelle de l'indignité de celle pour qui nous nous sommes sacrifiés. Que feriez-vous?

LE GÉNÉRAL

L'indignité? L'indignité d'Amélie? Hélas! Vous rêvez, Ghislaine.

MADEMOISELLE DE SAINTE-EUVERTE

Oui, je rêve, Léon. Je rêve que je vais vivre, enfin! Dans ce réticule que je serre contre mon cœur, j'ai deux lettres, avec mon petit revolver à crosse de nacre, chargé. Deux lettres signées de sa main. Deux lettres d'amour à un homme.

LE GÉNÉRAL

Mille tonnerres, cela ne se peut pas!

MADEMOISELLE DE SAINTE-EUVERTE, *contre lui.*

Nous sommes libres, Léon!

LE GÉNÉRAL

Mais qui? Qui? J'exige le nom de l'homme!

MADEMOISELLE DE SAINTE-EUVERTE

Le docteur Bonfant.

Le docteur paraît, souriant.

LE DOCTEUR

Général, j'ai le plaisir de vous annoncer qu'elle est beaucoup mieux maintenant. Nous avons bavardé un moment et je l'ai calmée. Vous voyez que vous avez tort de vous moquer de la médecine. Tout dépend du médecin; et de la façon de s'y prendre.

LE GÉNÉRAL, *de glace.*

N'insistez pas, monsieur. Il y a une jeune fille ici!

LE DOCTEUR *se retourne, un peu surpris,*
vers Mlle de Sainte-Euverte.

Oh! Pardon. *(Il s'incline.)* Madame...

MADEMOISELLE DE SAINTE-EUVERTE *rectifie,*
infiniment noble.

Mademoiselle. Mais plus pour longtemps maintenant!

Le docteur se redresse, étonné.

RIDEAU

ACTE II

Quand le rideau se relève sur le même décor, le général et le docteur sont seuls. Le docteur est assis, le général fait les cent pas.

LE GÉNÉRAL

Monsieur, que dites-vous du sabre?

LE DOCTEUR

Général, je dis que vous errez.

LE GÉNÉRAL

Le sang doit couler, monsieur. J'entendrai vos explications après.

LE DOCTEUR

Il sera peut-être un peu tard.

LE GÉNÉRAL

Tant pis! Le sang d'abord, monsieur.

LE DOCTEUR

Je vous le conseille, d'ailleurs. Vous êtes hors de vous, et avec l'état de vos artères... Si nous

commencions par un petit coup de lancette? J'ai ma
trousse.

LE GÉNÉRAL

Vos plaisanteries de carabin ne sont pas de mise,
monsieur.

LE DOCTEUR

Je ne plaisante pas. La tension artérielle, c'est
notre triomphe. C'est une des rares occasions que
nous ayons d'être précis, grâce à notre petit
appareil. C'est pourquoi nous la prenons à tout
bout de champ. La dernière fois, vous aviez vingt-
cinq. C'est beaucoup.

LE GÉNÉRAL

Je m'en moque, monsieur. J'irai consulter un de
vos confrères. Pour l'instant, il s'agit de l'honneur.
(Un temps, il demande :) C'est beaucoup, vingt-
cinq?

LE DOCTEUR

Oui, c'est beaucoup.

LE GÉNÉRAL, *après un autre petit temps*.

Les avez-vous ou non reçues, ces lettres?

LE DOCTEUR

Je vous répète que je ne les ai jamais reçues. Si je
les avais reçues, comment les auriez-vous en votre
possession?

LE GÉNÉRAL

C'est juste. Vous les avez vues cependant. Ce ne
sont pas des faux.

LE DOCTEUR

Apparemment, non.

LE GÉNÉRAL

Donc, monsieur, le fait est là. Ma femme vous aime.

LE DOCTEUR

Elle l'écrit.

LE GÉNÉRAL

Et cela vous semble tout naturel?

LE DOCTEUR

Qu'y puis-je?

LE GÉNÉRAL

Mille tonnerres, monsieur! Le Corps médical n'a pas l'honneur délicat. N'importe quel aspirant, voire même un sous-officier de carrière, m'aurait déjà répondu : « A vos ordres. » On se serait expliqués après. Et si je vous jetais ma main à la figure?

LE DOCTEUR

Je vous y jetterais la mienne, général, incontinent. Et là, j'aurais quelque avantage. Je suis président effectif de la Société sportive dont vous n'êtes que le président d'honneur. Je m'entraîne tous les matins. Vous me parliez de votre ventre tout à l'heure. Nous avons le même âge, regardez le mien.

Il se déculotte.

LE GÉNÉRAL *le regarde et, dépité.*

Vous le rentrez.

LE DOCTEUR

Non. C'est naturel. Touchez. Regardez le vôtre, maintenant.

Le général se déculotte à son tour et regarde son ventre.

LE GÉNÉRAL

Sacrebleu.

LE DOCTEUR

Touchez. Touchez le mien. Touchez le vôtre.

MADEMOISELLE DE SAINTE-EUVERTE
paraît sur le seuil de la porte du petit salon.

Je vous en conjure, ne vous égorgez pas! Ah, mon Dieu! vous êtes blessés?

LE GÉNÉRAL, *qui se reculotte rapidement,
ainsi que le docteur.*

Mais non, mais non. Je vous expliquerai, Ghislaine. Rentrez dans le petit salon et n'en sortez sous aucun prétexte, je vous en prie. Nous vous appellerons quand tout sera éclairci.

Il la pousse dans le petit salon et revient s'asseoir, vaincu, près du docteur achevant de se boutonner.

LE GÉNÉRAL

Quelle histoire!

LE DOCTEUR

Je vous avoue que je n'y comprends rien. Quelle est cette jeune femme?

LE GÉNÉRAL

Une jeune fille, de mes amies, monsieur. Je ne vous permets aucune supposition.

LE DOCTEUR

Si je n'en fais aucune, je n'y comprendrai toujours rien et je ne pourrai jamais vous aider.

LE GÉNÉRAL

Mademoiselle de Sainte-Euverte — d'une excellente famille lorraine — est l'amour de ma vie, docteur. Et je suis le sien. Je l'ai rencontrée au bal annuel du Cadre noir à Saumur en 93 — voici dix-sept ans. C'était une jeune fille du meilleur monde, j'étais marié. Rien n'était possible entre nous. A cette époque, avec ma carrière et les enfants, il ne fallait pas songer au divorce. Et, pourtant, nous ne voulûmes pas renoncer à notre amour.

LE DOCTEUR

Elle devint votre maîtresse?

LE GÉNÉRAL

Non, monsieur. Je la respectai et elle promit de se garder pour moi et d'attendre. Ce qu'elle fit. Nous échangeâmes une correspondance, nous nous rencontrâmes de rares fois, chez quelques amis communs, dans des thés, au bois de Boulogne. Chaque année, nous pensions « bientôt ». Voilà dix-sept ans que cela dure! Mlle de Sainte-Euverte est toujours une jeune fille et je suis toujours prisonnier.

LE DOCTEUR

Mais, sacrebleu, général, votre carrière est faite,

vos filles sont grandes, qu'attendez-vous maintenant?

LE GÉNÉRAL

J'ai un secret, docteur, un pauvre secret. Je suis
lâche.

LE DOCTEUR

Vous plaisantez, général. Vous vouliez me tuer
au sabre. Et vos citations, vos dix-huit blessures?

LE GÉNÉRAL *a un geste et répond simplement.*

On me les a faites, ce n'est pas pareil... Et puis au
combat, c'est assez simple, il suffit de ne pas
s'imaginer mort. Dans la vie, c'est autre chose. *(Un
petit temps, il ajoute sourdement :)* Je ne puis pas
faire souffrir.

LE DOCTEUR, *doucement.*

Alors, vous ferez souffrir beaucoup, mon ami, et
vous souffrirez beaucoup aussi.

LE GÉNÉRAL

C'est ce que je crains.

LE DOCTEUR

Résumons nous, voulez-vous. Je veux vous aider
à vous tirer de ce pas. Vous aimez cette jeune
femme?

LE GÉNÉRAL

Cette jeune fille, monsieur.

LE DOCTEUR

Cette jeune fille, si vous voulez. Elle vous aime.
Elle vous attend depuis des années. Elle a sacrifié sa

jeunesse à cette attente vaine d'un bonheur que vous lui avez promis. Ce bonheur, vous le lui devez maintenant.

LE GÉNÉRAL

Oui, monsieur. Il n'est pas une minute de ma vie pendant ces dix-sept années qui n'ait été empoisonnée par cette pensée : Que fait-elle? Elle est seule. Elle joue du piano dans le salon désert de sa grande maison; elle brode, elle mange seule, à sa table dans la vaste salle à manger froide où mon couvert est toujours mis — et toujours vide —, elle s'en va à la messe toute droite, toute seule, fuyant les regards des hommes pour moi — les regards des hommes de moins en moins insistants d'année en année, car, il faut bien le dire, elle vieillit elle aussi. Je sais tout, monsieur, je sais tout! Dix fois, j'ai pris mon revolver d'ordonnance, je n'ai pas peur de la mort, c'est une vieille camarade. Feu! Pan! Pan! C'est fini. Pour moi; pas pour elle. Je n'en avais pas non plus le droit.

LE DOCTEUR

Laissons votre revolver d'ordonnance, général, comme votre sabre au râtelier. Entre tous vos accessoires de militaire, pourquoi n'avez-vous jamais songé à votre cantine?

LE GÉNÉRAL

Ma cantine?

LE DOCTEUR

Deux chemises, trois caleçons, six mouchoirs. Pan! Pan! La cantine est bouclée et Mlle de Sainte-Euverte, enfin, n'est plus une jeune fille.

LE GÉNÉRAL

Et la générale, monsieur?

LE DOCTEUR

L'aimez-vous encore?

LE GÉNÉRAL

Fichtre, non! mais elle m'aime, elle. Elle én mourra.

LE DOCTEUR

Voire. Les femmes ont de la ressource. Vous m'apprenez qu'elle vient de m'écrire qu'elle m'aimait, moi.

LE GÉNÉRAL *bondit.*

Mais, saperlotte, monsieur, je ne vous autorise pas! Deux de mes amis viendront demain trouver les vôtres. Je suis l'offensé : au sabre, monsieur, au sabre! Et je vous montrerai comment on le manie au huitième dragons. Et pas au premier sang, monsieur. On la connaît la ficelle! Une éraflure à l'avant-bras et il faut se serrer la main. A outrance, monsieur, à outrance!

LE DOCTEUR

Il faut s'entendre, général. Et mettre de l'ordre dans vos sentiments. C'est de quoi vous semblez manquer le plus. Vous voulez me tuer ou vous voulez vivre?

LE GÉNÉRAL

Je veux vous tuer au préalable, monsieur. Après, on verra!

LE DOCTEUR

Qu'est-ce qu'on verra? Cette preuve d'amour

donnée à votre femme, je ne vous vois pas près de
la quitter. Vous me dites qu'elle vous fait une scène
quand vous faites un tour de jardin, alors qu'elle
sait bien que vous ne l'aimez plus. Si vous tuez un
homme pour elle, je vous défie bien après de
pouvoir aller faire pipi tout seul. Il faut être
logique, général.

LE GÉNÉRAL

Pouvez-vous me jurer que vous n'êtes pas son
amant?

LE DOCTEUR

Sur la tête de Mme Bonfant.

LE GÉNÉRAL

Je me méfie. Sur la vôtre.

LE DOCTEUR

Sur la mienne.

LE GÉNÉRAL

D'ailleurs, elle est laide; c'est un paquet d'os.

LE DOCTEUR

Non, elle n'est pas laide.

LE GÉNÉRAL

Comment, elle n'est pas laide? Qu'insinuez-vous
encore?

LE DOCTEUR

La générale n'a jamais été ce qu'on appelle une
beauté; mais quand vous êtes arrivés ici il y a
quelque quinze ans, je dois vous dire, mon cher,
qu'elle a été très remarquée... Pas par moi, pas par

moi, spécialement! Mais son esprit, ses toilettes, son talent. Elle était très allurale, votre femme, général! Et puis, elle arrivait de Paris!

LE GÉNÉRAL

Elle est de Carpentras.

LE DOCTEUR

Elle arrivait de Paris tout de même et de l'Opéra. Vous savez ce que c'est que la province... J'en connais personnellement deux qui ont, pour le moins, beaucoup espéré.

LE GÉNÉRAL, *terrible*.

Leurs noms?

LE DOCTEUR

A quoi bon, général, maintenant? L'un d'eux est dans une petite voiture pour avoir trop sacrifié à Vénus. Secret professionnel, vous voyez qui je veux dire? Et l'autre est mort.

LE GÉNÉRAL

Trop tard, toujours trop tard!

LE DOCTEUR

C'est exact. Plus je réfléchis, général, plus je m'aperçois qu'il y a quelque chose de troublant dans votre cas. Vous ne travaillez que sur le passé.

LE GÉNÉRAL

C'est vrai. J'oublie le ventre et les ficelles à la manche. Je suis vieux.

LE DOCTEUR

On n'est vieux que le jour où on le décide; mais

tout ce qui vous occupe a comme une odeur de
refroidi. Votre jalousie pour la générale, c'était bon
du temps des coups de griffe. Qu'est-ce que cela
peut bien vous faire maintenant ? Votre amour pour
Mlle de Sainte-Euverte c'était pour Mlle de Sainte-
Euverte à dix-huit ans, le soir du bal du Cadre noir.
Cette demoiselle de Sainte-Euverte-là est morte il y
a belle lurette. Ni vous ni elle-même ne pouvez
seulement vous rappeler ce qu'elle était.

LE GÉNÉRAL *a un sourire charmant.*

Oh ! que si, monsieur, que si !

LE DOCTEUR

Un souvenir attendri. Le souvenir d'une morte.
Et le chef d'escadron Saint-Pé est mort aussi.
C'était un fringant militaire que vous avez bien
connu ; entreprenant, romanesque, amoureux, mais
tendre et bourré de scrupules. Paix à son âme !
Pourquoi ne choisiriez-vous pas une troisième
solution qui consiste à l'oublier et à vous occuper
de vos rosiers ? Il n'y en a plus pour si longtemps.

LE GÉNÉRAL

Jamais !

LE DOCTEUR

Pourtant — je vais vous parler comme un carabin
encore, mais c'est vous qui l'avez avoué — combien
de carottes, combien de blennorragies entre vous et
lui, pendant que Mlle de Sainte-Euverte attendait ?

LE GÉNÉRAL

Le cœur est resté, monsieur, sous la ferblanterie.
(Il se présente.) Lieutenant Saint-Pé. Sorti second
de Saumur. Sans fortune, mais du courage et bien

noté. Prêt à tout donner pour la France, pour
l'honneur et pour une femme. Une vraie femme;
tendre, bonne, fidèle — pure. Pas cette chanteuse
ratée, préoccupée exclusivement d'elle-même et de
ses éternels regrets. C'est moi, monsieur, c'est moi!
Votre temps qui passe, c'est de la faribole. Je n'y
crois pas. J'ai trente ans. Et la femme je l'ai trouvée
— hier soir — au bal annuel de l'École de Saumur.
Je suis prêt.

LE DOCTEUR

Alors, il faut faire vite, général. Une bonne et
franche explication; couper dans le vif avant la
gangrène. Faire mal, s'il le faut, mais carrément. Et
recommencer — tout neuf. Franchir la porte, c'est
tout un monde, mais, en fait, il suffit de faire un
pas.

LE GÉNÉRAL

Vous en avez de bonnes! Vous n'aimez pas plus
votre femme que moi : vous y êtes arrivés, vous, à
ficher le camp?

LE DOCTEUR

Non. Mais moi je n'ai jamais rencontré de jeune
fille au bal de l'École de Médecine. Voilà la
différence entre nous.

MADEMOISELLE DE SAINTE-EUVERTE *paraît
sur le seuil du petit salon.*

Maintenant, je ne peux plus tenir! Je dois savoir.

LE GÉNÉRAL *va à elle, un peu nerveux.*

Mais tonnerre de Brest! Voilà dix-sept ans que
vous attendez, Ghislaine. Vous pouvez bien patien-
ter dix minutes de plus!

MADEMOISELLE DE SAINTE-EUVERTE

Justement, non. Plus dix minutes. Ces dix-sept ans n'étaient rien. Depuis que je vous ai apporté ces lettres, chaque minute de retard est un siècle, Léon. Je n'en puis plus!

LE GÉNÉRAL

Ghislaine, il me faut le temps matériel de lui faire avouer sa faute, de lui notifier ma décision inébranlable. C'est une malade, que diable! Je lui dois certains ménagements. Ne soyez pas cruelle, vous non plus.

MADEMOISELLE DE SAINTE-EUVERTE

J'ai supporté sa cruauté et respecté son amour tant que je la croyais fidèle. Maintenant que je sais qu'elle a osé vous trahir, je serai sans pitié, mon ami. Et sans patience. D'ailleurs, si vous étiez capable d'hésiter encore, je suis venue avec un petit revolver à crosse de nacre que vous connaissez bien, dans mon sac. Je terminerai cette vie dans l'heure, sans avoir connu autre chose de l'amour que vos vaines promesses, Léon.

LE GÉNÉRAL

Allons bon! Qu'allez-vous imaginer, Ghislaine? Il n'a jamais été question de ne pas les tenir, ces promesses. Vous le savez bien. Après un si long délai je ne vous demande qu'un instant pour mettre de l'ordre dans ma vie. Rentrez dans le petit salon et patientez. Il y a des magazines sur la table. Lisez calmement.

MADEMOISELLE DE SAINTE-EUVERTE

Des magazines! comme chez le dentiste. Voilà la première fois que vous me faites de la peine, ami.

LE GÉNÉRAL

Mon amour! Qui parle de dentiste? Je vous
conseillais de lire pour ne pas vous impatienter.
D'ailleurs, ce n'est pas à vous qu'on va arracher la
dent. Je vous adore... Un instant. *(Il l'a poussée
doucement mais fermement dans le petit salon. Il
revient.)* Le temps presse. Si vous lui parliez le
premier, docteur?

LE DOCTEUR

Cela me paraît délicat, étant donné les lettres.
Imaginez qu'elle tombe dans mes bras. Nous n'en
finirions plus de nous expliquer.

LE GÉNÉRAL

C'est juste. Restez ici cependant et si j'appelle au
secours, entrez. *(Il entre dans la chambre de la
générale et ressort presque immédiatement, bouleversé,
un papier à la main.)* Docteur, elle n'est plus dans
sa chambre!

LE DOCTEUR

Comment? Mais nous n'avons pas bougé de la
vôtre. Il y a une autre issue?

LE GÉNÉRAL

La fenêtre du cabinet de toilette sur le jardin, en
s'aidant de la glycine.

LE DOCTEUR

Général, vous rêvez! dans son état...

LE GÉNÉRAL

Elle a laissé cette lettre sur sa table. *(Il lit :)*
« J'ai tout entendu. Les hommes sont des lâches.

Malgré tout ce qu'on a pu te raconter, je n'aime que toi, Léon, depuis toujours. Je mentais. Je peux marcher quand je veux. Je pars. Tu n'entendras plus jamais parler de moi. » Est-ce qu'elle veut dire qu'elle veut se tuer ?

LE DOCTEUR *regarde sa montre.*

Saperlipopette ! le passage à niveau, elle en avait parlé. Il est moins deux, le train passe à cinq !

LE GÉNÉRAL *a une autre idée.*

L'étang ! Courons chacun dans une direction !

Ils sortent tous deux rapidement.

MADEMOISELLE DE SAINTE-EUVERTE *entre presque aussitôt.*

Moi aussi j'ai tout entendu et je sais ce qu'il me reste à faire. Vous l'aimez encore, Léon ! *(Elle s'assoit à la table du général et commence à écrire rapidement, calme, mais écrasant une larme sous sa voilette. Elle murmure :)* « Léon. Voici ma dernière lettre à moi qui t'ai tant écrit. Je sais bien que c'était ridicule toutes ces lettres ; toutes ces lettres pendant dix-sept ans, et que cela a pu te lasser, mais j'étais toujours toute seule... » *(Sa voix meurt, elle continue à écrire. On entend la voix de Gaston, le secrétaire, qui recommence à chanter sa romance italienne amoureuse sous les fenêtres, dans le jardin. La chanson d'amour continuera pendant toute la lettre. Quand la lettre est finie, Mlle de Sainte-Euverte la dispose en évidence sur la table du général.)* Voilà. Sur ses papiers. C'est tout. C'est la chose la plus simple du monde. *(Elle s'est levée, elle prend posément son réticule, en tire le petit revolver à crosse de nacre, l'appuie sur son cœur et presse la* *gâchette, tandis que la chanson continue toujours, dehors. Le coup ne part pas.* Mlle *de Sainte-Euverte regarde son petit revolver, étonnée; elle tire une baguette, en pousse une autre, souffle dans le canon et tire encore. Toujours rien : elle soupire :)* Dix-sept ans, lui aussi, qu'il attend! *(Elle jette le revolver, regarde sa montre à son cou et murmure :)* Trop tard pour le train. L'étang! *(Elle va sortir, elle se ravise :)* Non. Pas au même endroit qu'elle, tout de même! *(Elle regarde autour d'elle.)* Avec un peu de chance, la fenêtre!

Elle prend son élan, court, enjambe la balustrade du balcon et tombe dans le jardin. La chanson s'arrête brusquement sur un hoquet. La scène reste vide un instant, puis Gaston le secrétaire entre, portant Mlle *de Sainte-Euverte évanouie dans ses bras. La bonne paraît, affolée, en même temps.*

LA BONNE

Eh bien, monsieur Gaston, qu'est-ce qui se passe? Vous en avez fait un couic!

GASTON

J'étais tranquillement en train de lire le journal dans le hamac et cette dame me tombe sur la tête!

LA BONNE

Voyez-vous ça! Quand elle est entrée, je me doutais d'un drame. Elle avait l'air comme folle. Elle s'est fait mal?

GASTON

Elle, je ne le sais pas, mais à moi, elle m'a fait mal. A-t-on idée d'atterrir sur la tête des gens!

LA BONNE

Elle voulait peut-être vous tuer?

GASTON

Elle s'y serait prise autrement. Plutôt elle. D'ailleurs, je ne la connais pas. *(Il l'étend sur le canapé.)* Elle est évanouie.

LA BONNE

Et le docteur qui vient de sortir! Il est toujours fourré ici, celui-là, et pour une fois que quelqu'un se tue, il sort!

GASTON, *qui gifle Mlle de Sainte-Euverte.*

Allez chercher quelque chose, saperlotte!

LA BONNE

Quoi?

GASTON

Je ne sais pas, moi : un remède, des sels, de la teinture d'iode.

LA BONNE

Je vais lui faire un bon café.

Elle sort.

GASTON

Pas de sang, en tout cas. *(Il la touche partout.)* Rien de cassé, on dirait. Pas de bosses. Madame. Madame.

MADEMOISELLE DE SAINTE-EUVERTE, *faiblement.*

Mademoiselle...

GASTON

Pardon, mademoiselle. Cela va mieux ?

MADEMOISELLE DE SAINTE-EUVERTE *murmure,
les yeux fermés.*

Laisse tes mains sur moi, Léon.

GASTON *se retourne, gêné.*

Pardon, mademoiselle, vous faites erreur.

MADEMOISELLE DE SAINTE-EUVERTE, *dans un cri.*

Laisse tes mains, Léon, partout. Ou je sens que
je m'en vais encore. Tes mains, vite tes mains — ou
je pars...

GASTON, *affolé, regarde ses mains.*

Mes mains ? Je ne peux pourtant pas la laisser se
réévanouir. *(Il la prend dans ses bras et, à part.)* Ce
n'est pas que ce soit désagréable. Je suis un jeune
homme si seul. Et, d'ailleurs, je m'en confesserai.

MADEMOISELLE DE SAINTE-EUVERTE

Ah, comme c'est bon ! Tu me touches enfin,
Léon. Je ne suis plus seule. J'ai tellement attendu
que tu me touches... Tu croyais que j'étais forte. Et
j'étais forte, il le fallait bien ; mais c'était long toutes
ces nuits toute seule. Avant de te connaître aussi
j'étais seule, mais je ne le savais pas. C'est le
lendemain du bal de Saumur que mon lit est
devenu grand. Le lendemain et tous les soirs,
pendant dix-sept ans. Et toutes les mauvaises
pensées — tu ne sais pas. Je ne te dirai jamais. Je
luttais, toute seule. Ma main même ne me touchait
pas. Personne ne devait me toucher en attendant
qu'enfin tu viennes ! Cela a été terriblement long,

Léon, maintenant je peux bien te le dire, puisque
c'est fini, que tu es là et que tu me tiens pour
toujours. Ils sont forts tes bras et douces tes mains,
plus douces encore qu'au bal de Saumur.
Embrasse-moi maintenant, Léon, nous pouvons.
Embrasse-moi puisque tu sais que je vais mourir.
Qu'attends-tu, Léon? que je meure?

GASTON, *à part.*

Assurément, cette dame se trompe; mais puisqu'elle va peut-être mourir...

Il l'embrasse.

MADEMOISELLE DE SAINTE-EUVERTE *a le temps*
de soupirer.

Enfin!

Long baiser. Le général entre, portant la
générale évanouie dans ses bras. Il s'arrête, cloué
au sol devant ce spectacle.

LE GÉNÉRAL

Sacrebleu! Mais qu'est-ce que vous faites, mon
garçon?

GASTON *se relève, terrifié.*

Mon général, Mademoiselle délire; elle n'a plus
sa connaissance!

LE GÉNÉRAL *hurle.*

Sacrebleu! Je m'en doute, mais vous?

GASTON, *qui ne sait plus ce qu'il dit.*

Elle m'est tombée sur la tête, mon général, et elle
m'a ordonné de l'embrasser.

LE GÉNÉRAL

Mais, mille tonnerres, tout le monde est donc fou ici, ce matin! Je ne comprends rien à ce que vous me racontez. *(Il crie, toujours encombré de la générale évanouie.)* Ghislaine! Ghislaine! Qu'avez-vous? Que vous est-il arrivé?

GASTON

Elle s'est jetée par la fenêtre, mon général. Dieu merci, j'étais dessous dans le hamac. Je l'ai reçue sur la tête. Je ne crois pas qu'elle ait eu mal.

LE GÉNÉRAL

Par la fenêtre! Saperlipopette! quelles folles, toutes! Mon cher amour! Prenez ma femme, mon garçon. *(Il met la générale dans les bras du secrétaire et se précipite vers Mlle de Sainte-Euverte.)* Ghislaine! Mon amour! Pourquoi avez-vous voulu mourir? Je ne vous demandais plus qu'un peu de patience et j'allais être libre, enfin! Ghislaine, revenez à vous. Maintenant, tout va être possible, je vous en fais le serment.

MADEMOISELLE DE SAINTE-EUVERTE *revient à elle.*

Qui me touche? Je ne reconnais pas ces mains.

LE GÉNÉRAL

C'est moi, Ghislaine. C'est Léon. Votre Léon!

MADEMOISELLE DE SAINTE-EUVERTE *le repousse.*

Lâchez-moi. Vous n'êtes pas Léon. Je ne reconnais pas vos mains. *(Le général l'embrasse.)* Ni votre bouche. Léon m'a enfin embrassée tout à l'heure. Il a vingt ans. Vous, je vous défends de me toucher. Personne ne doit me toucher que lui. Vous le savez bien, je me garde.

LA GÉNÉRALE *s'éveille dans les bras*
du secrétaire et appelle.

Léon!

LE GÉNÉRAL *prend Mlle de Sainte-Euverte*
dans ses bras.

Allons bon! L'autre va revenir à elle. Elle ne doit pas la voir ici : elle se retuerait!

LA GÉNÉRALE, *cramponnée*
au cou du secrétaire, glapit.

Léon, tiens-moi. Embrasse-moi, Léon. Embrasse-moi, Léon. Embrasse-moi tout de suite avant que je sois tout à fait morte! Tu vois bien que je vais mourir!

GASTON *crie, affolé,*
au général qui emporte Mlle de Sainte-Euverte.

Mon général! Celle-là aussi me demande de l'embrasser avant de mourir. Qu'est-ce qu'il faut faire?

LE GÉNÉRAL

Vous perdez le sens, mon garçon! Vous voyez bien qu'elles délirent toutes les deux. Posez la générale dans sa chambre, je porte Mademoiselle à côté.

Ils sortent tous deux, portant les femmes
évanouies. La bonne rentre, portant le café.

LA BONNE

Tiens, cette fois, ils sont tous partis. S'ils croient que je vais leur courir après à mon âge! Je leur pose leur café là. (*Elle avise la lettre.*) Qu'est-ce que c'est que ça? Une lettre? (*Elle met ses lunettes et*

*commence à lire, d'une voix d'idiote qu'on oubliera peu
à peu.)* « Léon. Voici ma dernière lettre à moi qui
t'ai tant écrit. (C'est une intrigue, quel vieux
coureur tout de même!) Je sais que c'est ridicule
toutes ces lettres — toutes ces lettres pendant dix-
sept ans — et que cela a pu te lasser... Mais j'étais
toujours toute seule et je ne tenais à toi que par ce
petit fil d'encre noire que je déroulais sur le papier.
Et si je t'écrivais jour et nuit, toujours que je
t'aimais et que je t'attendais, toujours la même
chose, c'est que j'avais peur de casser mon petit fil
noir et de te perdre, mon cher absent. (Son petit fil
noir. Ça doit être une couturière.) Mon cher
absent... Comme tu as été, loin, Léon, toujours.
Toi, tu avais ton métier, ta famille, même si tu
détestais ta femme et si tes filles t'ennuyaient, tu
avais leurs mots et leurs scènes, leur bruit autour de
toi. Moi j'étais seule dans l'éternel silence avec ma
servante (donc elle était pas seule), avec ma
servante, mon chat, mon piano et ton nom toujours
répété sans réponse. Si au moins j'avais dû travail-
ler, mais j'étais riche, hélas! et mon seul travail, ma
seule tâche ici-bas aura été de me garder pour toi,
Léon. Ne crois pas qu'ils ne me regardaient pas, au
moins les premières années, et que je ne les trouvais
pas beaux quelquefois, les garçons. Mais je savais
qu'il ne fallait pas que je les voie. — Je savais
surtout qu'il ne fallait pas qu'ils me voient, eux. Au
début, c'était difficile, j'étais fraîche et jolie du
temps de Saumur; alors, j'avais appris comment
faire — mon petit secret, longuement mis au point
pour toi — sans même faire de grimaces, je
devenais laide en passant près d'eux, tout simplement, même mieux que laide, mon chéri, invisible.
Voilà. Pour me garder pour toi, j'aurais été une
jeune fille de plus en plus invisible, mon amour,

jusqu'à disparaître tout à fait. Je t'embrasse. Signé :
GHISLAINE. » *(La bonne relève la tête un peu émue,
enlève ses besicles et conclut au public :)* C'est très
triste. Mais tout de même : c'est rudement bien
écrit !

RIDEAU

ACTE III

Même décor. Le général est seul en scène. Il semble
attendre. Le docteur sort du petit salon.

LE GÉNÉRAL

Alors?

LE DOCTEUR

Elles reposent toutes les deux. Je leur ai donné
une bonne dose de gardénal. L'ennui c'est qu'elles
finiront par se réveiller.

LE GÉNÉRAL

On était si calmes. C'est extraordinaire, voilà une
heure qu'on n'entend plus rien. J'en arrivais
presque à réunir quelques idées. Mon cher, la
médecine devrait trouver un moyen pour faire
dormir éternellement les femmes. On les réveillerait
un petit moment, la nuit, et puis elles se rendormi-
raient.

LE DOCTEUR

Ah! général, si c'était possible! Seulement, nous
aurions de drôles de maisons. Moi, quand je dois

me faire un œuf sur le plat, c'est un drame. Et
encore le faire cuire n'est rien. Mais après il faut
laver le plat.

LE GÉNÉRAL

On pourrait voir. Au besoin, on n'endormirait
pas les bonnes. Vous avez vu la nouvelle petite
rousse? Jolie fille. Avec toutes ces histoires, je n'ai
même pas eu le temps de lui dire un mot. Une
poitrine, mon cher! Je n'en ai jamais vu de pareille!
(Il soupire.) Mon Dieu, tout pourrait être si
simple! Pourquoi se complique-t-on la vie?

LE DOCTEUR

Parce qu'on a une âme, général. Croyez-en un
vieux libre penseur. C'est elle qui nous empoi-
sonne... Les dessous de la bonne, c'est un bon
moment, mais après... Sans amour, sans vrai désir,
quel vide! Alors, l'âme reflue dans ce vide, on en a
plein la bouche, elle vous sort par le nez. C'est
dégoûtant.

LE GÉNÉRAL

Je connais cela. Mais ce n'est pas dégoûtant, au
contraire. Après, on devient idéaliste, voilà tout.
Un vague dégoût, le cœur sur la main, les pensées
les plus nobles. On serait vraiment incapable de
faire quelque chose de laid... Quand on pense qu'on
a pu... Pouah! C'est une volupté aussi de sentir son
âme, docteur. Les matérialistes n'entendent rien au
plaisir. N'allez pas croire que je sois un pourceau.
L'après-midi se passe ainsi, très délicat... On lit un
bon livre, on fait une petite promenade en respirant
ses fleurs. On a des idées générales, on est léger, on
est artiste... On fait un excellent dîner et puis, ma
foi, vers le soir, sans y attacher tellement d'impor-

tance, une fois qu'on s'est bien refait, ni vu ni connu, entre deux portes. Une minute d'ignominie, c'est bon à prendre. On n'en a pas tant non plus, avec tous les scrupules qu'on se fait! D'autant plus qu'on redevient immédiatement idéaliste et qu'on va se coucher, grâce à cela, plein de bonnes résolutions. Et qui est-ce qui y gagne au fond? La vertu. C'est dommage que les femmes n'aient jamais compris cet ingénieux système de balance. Elles dramatisent tout.

LE DOCTEUR

Elles n'ont pas la même conception de l'égoïsme que nous, tout simplement. Nous avons décidé que tout était notre nourriture et nous attirons tranquillement les choses vers le petit noyau que nous sommes. Elles se projettent sur le monde qui prend leur forme et devient elles, — et plus particulièrement sur l'homme qui va devenir leur moyen d'expression. Le malheureux conserve ses grosses moustaches, ses glandes, son haut-de-forme, son rang social, son métier, mais pfutt! il ne s'en est même pas aperçu; le tour est joué. Tout cela n'est plus qu'un trompe-l'œil. En fait, il est devenu le gode-miché d'une dame. Pour l'amour, pour l'argent, pour la puissance, pour la vengeance, pour tout. Et il est heureux d'ailleurs, l'imbécile! tout au moins au début : il est aimé.

LE GÉNÉRAL

Dieu nous garde d'être aimés, docteur! Et si encore elles faisaient leur petite besogne avec le sourire... Mais pas du tout. C'est qu'elles souffrent énormément pour nous manger! Toujours à pleurer, à geindre, à avoir mal. Croyez-vous raisonnablement qu'il y ait autant d'occasions de souffrir dans ce monde?

LE DOCTEUR

Non.

LE GÉNÉRAL

Moi non plus. Et quand, par extraordinaire, elles cessent d'avoir mal, on n'y coupe pas, elles vous en font.

LE DOCTEUR

Je vais vous dire le secret, général. Nous sommes tous restés des petits garçons. Il n'y a que les petites filles qui grandissent.

LE GÉNÉRAL, *soudain.*

Je mens, il y en a une, tout de même, qui ne m'a jamais fait de mal, qui ne m'a jamais rien reproché. (Il est vrai que je n'ai pas vécu avec elle.) Ah! si vous l'aviez vue au bal de Saumur... Je parie que vous n'êtes pas sûr que je l'aime, docteur, d'avoir attendu si longtemps?

LE DOCTEUR

Mon cher, il ne faut jamais juger de l'amour ou du courage des autres. Personne ne peut dire qui aime ou qui a peur.

LE GÉNÉRAL

Docteur, je vous ai dit ma vie en deux mots. La coquille est belle, on m'a peint dessus des feuilles de chêne et je ne sais combien de décorations; je suis dans la manche de Poincaré (que l'Allemagne bouge et on me rappelle, il me l'a dit); j'ai une belle maison, de belles moustaches; les filles faciles de ce

pays n'ont pas de refus pour moi ; quand je passe
sur mon cheval noir le matin, dans mon corset, je
parie même que je fais rêver les petites pucelles de
la rue Haute, cachées derrière leur rideau, et
qu'avec un peu d'application... Première force au
sabre et au pistolet ; les hommes ont peur de moi ;
au billard, au café des Trois-Pipes, je fais des séries
que personne ne fait, sous l'œil bienveillant de la
belle caissière. (Quelle blonde, mon cher ! Elle passe
pour une vertu, mais je l'ai eue !) Je fais du bruit ; je
suis vigoureux malgré mon début de ventre ; je
sacre, je dis des énormités quand cela me chante et
tout le monde me les passe, même le curé, parce
que j'ai la façon : je me tape le caisson comme un
gorille et chacun dit : « Voilà un homme ! » Hé bien,
la coquille est vide. Il n'y a rien dedans. Je suis tout
seul et j'ai peur.

LE DOCTEUR

Peur de quoi ?

LE GÉNÉRAL

Je ne sais pas, moi. De ma solitude sans doute. Je
suis un ancien petit garçon abandonné. Au Maroc,
en sabrant l'Arabe — et, bon Dieu, pourtant, cela
me faisait plaisir ! — à la revue de Longchamp,
quand le président de la République m'a passé le
grand cordon — au bordel, quand j'arrosais tout le
monde de champagne ; j'avais envie de crier au
secours... Je sais ce que vous allez me dire. Il faut
rentrer en vous-même. J'ai essayé cela aussi. Je suis
rentré en moi-même plusieurs fois. Seulement,
voilà, il n'y avait personne. Alors, au bout d'un
moment, j'ai eu peur et je suis ressorti faire du
bruit dehors pour me rassurer.

LE DOCTEUR

Pauvre ami.

LE GÉNÉRAL

Oui, docteur. Je me déculotte. Je n'en peux plus de ne l'avoir jamais dit. Mes carottes mêmes, vous croyez qu'elles m'amusent? Elles m'ennuient. C'est mon épouvante de vivre qui me pousse à leur courir après. Quand on les voit passer avec leurs fesses et leurs tétons, sous leurs robes, on a je ne sais quel fol espoir. Mais après, la robe enlevée, quand il faut remuer tout ça! On a beau essayer d'être poli (un vieux reste d'éducation)... Et c'est qu'elles roulent des yeux, même les filles, elles croient qu'elles vous font un grand cadeau. Alors, on leur a raconté tant d'histoires avant, il faut tout de même bien s'exécuter. Seulement, avec toutes ces fausses manœuvres, on arrive à mon âge en s'apercevant qu'on n'a jamais fait l'amour. J'ai tort de me moquer de mon secrétaire. Je suis un vieux puceau, docteur.

LE DOCTEUR

Non. Vous avez la maladie, tout simplement.

LE GÉNÉRAL

Laquelle? Je les ai toutes eues. Je me suis fait poivrer je ne sais combien de fois.

LE DOCTEUR

Celles-là, ce n'est rien. On les soigne. Nous avons une âme, général. J'ai nié longtemps le phénomène. J'étais de la bonne école; on ne badinait pas, sur ce point, de mon temps, à la Sorbonne! Je voulais m'en tenir aux chancres et

aux abcès. Mais, maintenant, ma conviction est
faite. C'est là qu'est le mal, la plupart du temps.

LE GÉNÉRAL

Mais tout le monde a une âme, sacrebleu! Ce
n'est pas une raison pour avoir la frousse, pendant
toute sa vie.

LE DOCTEUR

Si, général. Les âmes sont rares. Et quand on en
a une par malheur, tant qu'on ne lui a pas donné sa
paix, c'est la bataille.

LE GÉNÉRAL

Sa paix? Sa paix? Mais, saperlipopette, qu'est-ce
que c'est, sa paix? Qu'elle s'explique, une bonne
fois, et je la lui donne sur-le-champ, pour avoir la
mienne!... Elle ne veut tout de même pas que je me
fasse curé?

LE DOCTEUR

Non. Si c'était aussi simple, cela serait fait.

LE GÉNÉRAL

Alors, qu'est-ce qu'elle veut? Qu'elle le dise?
J'essaierai. Que je vive chaste? Mais quand je
fourre mes mains sous une jupe, c'est pour voir si
elle n'est pas dessous!

LE DOCTEUR

Cela serait trop simple aussi, général.

LE GÉNÉRAL

Que je m'occupe de ma famille? Que je renonce à
tout? La générale est une vieille chanteuse ratée qui
m'englue de ses reproches refroidis et mes filles

sont deux idiotes qui ne pensent qu'à leurs robes et
à leurs cancans d'Enfants de Marie. Si au moins
elles étaient belles... Les seuls moments où je me
sens un peu tranquille, c'est quand je vois quelque
chose de beau. Je ne peux pourtant pas me faire
peintre ou sculpteur, je n'y entends rien. Alors
quoi, courir les musées comme un imbécile, avec
un kodak? Non, tout de même. La beauté, on doit
pouvoir en faire soi-même. Il faut être un jean-
foutre pour passer sa vie à lécher les vitrines.

LE DOCTEUR

Et Mlle de Sainte-Euverte, général?

LE GÉNÉRAL, *après un petit temps,*
d'un autre ton, soudain.

Hé bien, oui. Voilà dix-sept ans que je me le dis.
Ce qui m'est arrivé d'extraordinaire à ce bal de
l'École de Saumur : j'avais invité une jeune femme
comme les autres — la couleur de sa robe ou de ses
cheveux m'avait plu — c'est que, tout d'un coup, je
n'ai plus eu peur. Cela a été une minute merveilleuse, mon ami. *La Valse des toréadors. (Il chante :)*
Tra la la la, tra la la la la, la lère... Je me présente,
je l'invite, je l'enlace — et, tout d'un coup, je me
dis : « Comme je suis bien! Qu'est-ce qui se
passe? » C'était mon âme qui me foutait la paix.

LE DOCTEUR

Et cela s'est renouvelé?

LE GÉNÉRAL

A chaque fois. A chacun de nos pauvres rendez-
vous, dans des thés pleins de vieilles perruches,
entre deux éclairs au café — sur les barques du bois
de Boulogne, sur la tour Eiffel ou sur les tours de

Notre-Dame. (Nous faisions comme tous les amoureux encore chastes qui ne savent jamais où se
poser, nous visitions éternellement Paris.) A chaque
fois, c'était le miracle. Je cessais soudain d'avoir
peur.

LE DOCTEUR

Mais pourquoi n'en avez-vous pas fait tout de
suite votre femme ou votre maîtresse, nom de nom?

LE GÉNÉRAL

Ma maîtresse, entre nous, j'aurais pu... J'ai feint
de respecter ses scrupules, mais une femme digne
de ce nom et qui aime, n'en a pas de cet ordre, je le
sais bien. Et peut-être l'ai-je déçue, à la longue,
en la respectant tellement. Je crois bien vous avoir
dit que j'étais lâche, docteur. J'ai eu peur de
rompre le charme en faisant les mêmes gestes avec
elle. Ah! si j'avais été un jeune homme, pur comme
elle... La question ne se serait pas posée. Mais
l'hôtel meublé l'après-midi, les bruits d'eau à côté
— ou même une garçonnière où on ne s'enferme,
trois fois par semaine, que pour cela... J'ai voulu
attendre d'être libre et que l'amour prenne sa vraie
place, dans une vie de tous les jours.

LE DOCTEUR

C'était sage. Mais, alors? Pourquoi avoir tant
attendu?

LE GÉNÉRAL

Vous en parlez à votre aise... Vous ne la connaissez
pas, cette bougresse-là (Je veux parler de mon
âme.) Quand elle est en face de la générale, elle
gueule de peur et de dégoût — seulement, quand je
fais pleurer la générale, quand elle gémit dans son

fauteuil à roulettes — où pourtant je sais qu'elle ne
reste assise que pour m'embêter — quand je vais
enfin lui serrer le kiki (ne riez pas, j'y ai songé) et
prendre mon képi à la patère de l'entrée pour foutre
le camp, une bonne fois ; vous savez ce qu'elle fait,
cette andouille ? (Je parle de mon âme, docteur.)
Elle me coupe les jambes, elle m'inonde de pitié,
d'ignoble pitié, de vieux souvenirs d'amour du
temps où tout n'était pas racorni et froid entre
nous. Elle me cloue au sol. Alors, je repose mon
képi ; je remets à une occasion meilleure et je
l'emmène faire un petit tour au bordel pour voir si
cela lui fera du bien. Vous avez une âme, vous,
docteur ?

LE DOCTEUR

Oui. Mais elle est très timide et assez modeste
dans ses exigences.

LE GÉNÉRAL

Eh bien ! ne lui donnez pas de mauvaises
habitudes. Ne lui passez rien. Ou, sinon, elle aura
votre peau. *(Il est à la porte du petit salon ; il
murmure soudain, rêveur :)* Chère Ghislaine ! Chère
longue, maigre et patiente Ghislaine ! Chère petite
âme en disponibilité ! Chère veuve ! *(Il crie :)*
Lieutenant Saint-Pé ! Sorti second de Saumur ! J'ai
trente ans, je vous le jure. *(Il se retourne vers le
docteur.)* Donnez-lui un peu moins de gardénal
qu'à l'autre, docteur. Celle-là, je voudrais tellement
la consoler.

LE DOCTEUR *sourit.*

Entendu. Je vous aime bien, général. Quand je
pense que nous avons failli nous égorger pour cette
histoire de lettres...

LE GÉNÉRAL *crie soudain en se donnant*
des coups de poing sur la poitrine.

Nom de nom, je suis trop bête! Et si je pensais
un peu à moi, sacrebleu? Moi! Moi! J'existe, moi
aussi. Si je pensais un peu à ce qui me fait plaisir, à
ce qui me fait du bien. Quand je tenais un Arabe au
bout de mon sabre, est-ce que je me posais tant de
questions, nom de Dieu? Si je m'arrêtais un peu de
comprendre toujours les autres. Ce serait si bon!
Qu'est-ce que vous en pensez, docteur?

LE DOCTEUR

Je crois que c'est ce que vous pouvez faire de
mieux, si vous y arrivez.

LE GÉNÉRAL

Alors, c'est décidé. C'est vu. Exécution! Rompez! Vous dites que vous n'avez pas de balai? Tant
pis! Je ne veux pas le savoir! *(Entre le secrétaire.)*
Ah! bonjour, mon garçon. Vous tombez bien. Je
me sens l'esprit gaillard. Nous allons boucler en
deux coups de cuillère à pot le chapitre du Maroc
et nous remettons le prochain chapitre à dans dix
ans. Ils vont voir de quel bois je me chauffe!

LE DOCTEUR

Je vous laisse, général. Mme Bonfant doit trouver
que je suis un peu trop ici. Je ne vous apprends pas
ce que c'est que des reproches? Je reviendrai les
voir ce soir. Vous devriez profiter du gardénal et
amorcer la grande scène.

LE GÉNÉRAL

J'y songe. Mais c'est si bon de pouvoir parler
d'autre chose un instant. Je fais un petit tour au

Maroc et je reviens. *(Le docteur sort; le général revient à son secrétaire.)* Revenons à nos deux ratichons. On leur avait donc ratissé leurs breloques. Écrivez : « Une affreuse mutilation, qu'on hésite à préciser, commise sur les personnes de deux saints ecclésiastiques, dont elle devait entraîner la mort, allait, en endeuillant le petit noyau de courageux pionniers qui défendait la civilisation française dans l'Empire chérifien, donner le signal des représailles. Le meurtre de nos deux missionnaires devait nous mettre, en effet, dans la triste obligation de faire, à notre tour, couler le sang. D'autant plus qu'il y avait déjà longtemps que nous attendions l'occasion de pouvoir enfin montrer notre force. » *(Il se ravise.)* Non! Ne mettez pas cela. *(Il continue :)* « La répression, modérée mais ferme, fut cependant impitoyable. L'expédition Dubreuil, partie de Rabat le 25 mai 98, s'enfonça dans le Sud. L'honneur me fut donné de commander l'escadron d'avant-garde qui devait attaquer partout. Dans le petit jour levant, à la tête de la longue colonne se déroulant dans les sables, je songeais aux graves responsabilités qui allaient peser sur mes épaules. »

Entrent Sidonie et Estelle essayant leurs robes, suivies de Mme Dupont-Fredaine, une fort belle couturière.

SIDONIE

Papa, nous venons pour les robes!

LE GÉNÉRAL

Fichez-nous la paix. J'ai d'autres chats à fouetter. Nous allons attaquer demain matin... *(Il voit la couturière.)* Oh! madame Dupont-Fredaine!

Comme je suis content de vous voir... Toujours belle, toujours tentante et froufroutante. *(Il lui baise la main.)* Quelle ligne, morbleu! quel chien! Madame Dupont-Fredaine, vous êtes la plus jolie femme du pays!

MADAME DUPONT-FREDAINE

Général, c'est fini tout cela! Il faut nous occuper des jeunes. Vous nous avez prises de court, savez-vous? Nous avons dû faire un miracle pour faire des beautés de ces deux fillettes.

LE GÉNÉRAL

Un miracle, il ne fallait pas moins, en effet! Oui, vous voyez, je suis un vieux jobard, je me suis laissé faire par ces gamines pour cette sacrée Fête-Dieu!

MADAME DUPONT-FREDAINE *lui donne une petite tape.*

Mécréant! Que pensez-vous de ce petit volant dans le bas, avec le rappel aux manches? Moi, je trouve que c'est tout un monde!

LE GÉNÉRAL

Ravissant! Ravissant! Votre robe aussi est bien belle. Qu'est-ce que c'est que ce charmant tissu?

MADAME DUPONT-FREDAINE *esquive le geste.*

Général! Regardez vos filles. Leur tissu est beaucoup plus beau.

LE GÉNÉRAL, *distrait.*

Ravissant! Ravissant! Cela va-t-il me coûter très cher?

MADAME DUPONT-FREDAINE

Général, vous savez que je suis raisonnable...

LE GÉNÉRAL, *près d'elle.*

Je ne le sais que trop, Emma.

MADAME DUPONT-FREDAINE

Sage! Sage! Ne parlons pas du prix. Ces demoiselles voulaient être sûres de vous plaire et je crois aussi à M. Gaston.

LE SECRÉTAIRE, *tout rouge.*

Mais, madame, je ne suis pas qualifié. J'ai si peu l'habitude des demoiselles.

MADAME DUPONT-FREDAINE

Quand on a vingt ans et qu'on est beau garçon, on est toujours qualifié, jeune homme. Il est tout rouge. Il est adorable, votre secrétaire, général!

LE GÉNÉRAL

Mille diables, madame, je vous défends de l'adorer!

MADAME DUPONT-FREDAINE

Marchez un peu dans la pièce, mesdemoiselles. Le général et M. Gaston vont nous dire leur avis.

Pendant que les jeunes filles déambulent, le général se rapproche de Mme Dupont-Fredaine.

LE GÉNÉRAL

Emma, vous savez que ces refus répétés sont absurdes.

MADAME DUPONT-FREDAINE

Taisez-vous; vous êtes un vilain coureur. Dupont-Fredaine est votre ami.

LE GÉNÉRAL

Justement. Personne ne s'étonnerait. Ravissant!
Ravissant! Il faut tout de même que je parle
sérieusement avec vous du prix de cette bagatelle,
chère madame. Venez donc faire un petit tour de
jardin. Je vous offrirai une rose. Un instant,
fillettes, nous revenons. Je vous les confie, Gaston.

*Il sort avec Mme Dupont-Fredaine ; les deux
jeunes filles se précipitent sur le secrétaire.*

SIDONIE

Vous n'avez pas honte de vous laisser dire que
vous êtes adorable?

ESTELLE

Par une vieille toupie pareille? Cela vous est égal
ce que nous souffrons?

LE SECRÉTAIRE

Mais, mesdemoiselles, je n'y pouvais rien.

SIDONIE

Et l'autre, ce matin, vous n'y pouviez rien?
Pourquoi l'avez-vous embrassée sur la bouche?

ESTELLE

C'est honteux. Tout le monde vous a vu!

LE SECRÉTAIRE

J'étais seul.

ESTELLE

Vous pensez que nous vous laissons seul? Nous
vous surveillons tout le temps. Nous étions derrière
la fenêtre.

LE SECRÉTAIRE

Elle m'était tombée sur la tête, elle allait mourir, j'étais bien obligé.

ESTELLE

Vous avez juré, Gaston!

SIDONIE

Vous avez juré : l'une ou l'autre!

LE SECRÉTAIRE

Je vous aime toutes les deux, mesdemoiselles.

ESTELLE

Mais c'est une troisième que vous embrassez? C'est du propre!

SIDONIE

Ah! ma chère, les hommes! Cela t'étonne, toi? Comme tu es jeune...

ESTELLE

Vous ne nous embrassez même pas, nous!

LE SECRÉTAIRE

Mais, mesdemoiselles, vous êtes des jeunes filles. Et puis, vous êtes toujours deux.

> *Les jeunes filles se retournent l'une vers l'autre, furieuses.*

ESTELLE

Tu vois!

SIDONIE

Tu vois!

ESTELLE

Tu ne veux jamais que je le voie seule!

SIDONIE

Non, c'est toi!

ESTELLE

Non, c'est toi!

SIDONIE

Non, c'est toi! Chenille verte! Manche à balai! Andouille!

ESTELLE

Graisse à lard! Cuisinière! Guenon!

Elles se battent.

LE SECRÉTAIRE, *éperdu, essaie de les séparer, tournant maladroitement autour d'elles.*

Mesdemoiselles! Mesdemoiselles! Mesdemoiselles! Au secours! Quelqu'un! Au secours! Elles vont se tuer!

Entrent précipitamment Mme Dupont-Fredaine et le général tout rouges.

MADAME DUPONT-FREDAINE

Eh bien, mesdemoiselles! Vos robes!

LE GÉNÉRAL, *entre ses dents.*

Ils m'ont fait peur. J'ai cru qu'ils nous avaient vus! *(Il crie :)* C'est fini, mille millions de sabords? Qu'est-ce qui m'a fichu des guenons pareilles! D'abord, qu'est-ce qui se passe, expliquez-vous!

SIDONIE

C'est elle qui a commencé!

ESTELLE

Non! C'est elle!

LE GÉNÉRAL

Sacrebleu, mon garçon, je vous les confie et vous n'êtes même pas capable de les empêcher de se battre?

MADAME DUPONT-FREDAINE, *agenouillée,
réparant les dégâts des robes.*

Oh! vos robes! Vos robes! Vous êtes des petites vandales!

LE GÉNÉRAL

Répondez. Pourquoi se battaient-elles?

LE SECRÉTAIRE, *écarlate.*

Je ne peux pas vous le dire, mon général.

LE GÉNÉRAL

Vous ne pouvez pas me le dire? Saperlipopette! De qui se moque-t-on ici? Pourquoi vous battiez-vous, vous?

Silence des jeunes filles, puis Estelle soudain.

ESTELLE

Nous l'aimons, papa. Nous l'aimons comme des folles!

SIDONIE

Nous l'aimons toutes les deux.

LE GÉNÉRAL

Qui?

ESTELLE et SIDONIE, *dans leurs sanglots.*

Lui!

LE GÉNÉRAL

C'est un comble!

ESTELLE

Mais, papa, toi tu ne sais pas ce que c'est que l'amour!

MADAME DUPONT-FREDAINE, *agenouillée.*

Mesdemoiselles! Mesdemoiselles! Mais vous pleurez sur vos robes!

LE GÉNÉRAL

Tonnerre de Brest! Vous en avez de raides! Ce puceau?

MADAME DUPONT-FREDAINE *a un cri.*

Général!

LE GÉNÉRAL

Tant pis, le mot est dit. Cet imbécile? Ce scribouillard de rien du tout?

Les sanglots des jeunes filles se calment.

ESTELLE *demande soudain.*

Qu'est-ce que c'est qu'un puceau, papa?

LE GÉNÉRAL

Cré nom de nom! Sortez tout de suite. Veuillez les emmener, madame Dupont-Fredaine, et laissez-moi seul avec ce lascar. Je ne sais pas ce qui se passe dans cette maison, mais cela commence à ne plus tourner rond.

MADAME DUPONT-FREDAINE, *sortant*
avec les jeunes filles.

C'est l'amour, général!

LE GÉNÉRAL

Vous en avez de bonnes. L'amour n'est pas une excuse à tout.

MADAME DUPONT-FREDAINE *lui donne en passant*
une petite tape mutine que les autres ne voient pas.

Vilain menteur! Il vient de me dire le contraire. A bientôt.

LE GÉNÉRAL *a un clin d'œil.*

A bientôt, Emma.

Le général, resté seul avec Gaston, le toise, grave.

Qu'est-ce à dire, monsieur?

LE SECRÉTAIRE

Je ne sais pas, mon général. Je suis moi-même bouleversé. Il se passe des choses tellement extraordinaires ici depuis ce matin. Tout à l'heure, cette jeune femme, maintenant, cette bataille inattendue.

LE GÉNÉRAL

Parlons-en, mon garçon. Vous comprenez que je puisse trouver extraordinaire, moi aussi, de vous surprendre à deux heures de distance, embrassant une jeune femme, mon invitée — sous le prétexte trop commode qu'elle vous est tombée sur la tête — et arbitrant un match de boxe entre mes filles qui se meurent d'amour pour vous. *(Le secrétaire*

veut parler; le général hurle :) Suffit!... Vous
m'avez été recommandé par un vénérable ecclésiastique qui s'était porté garant de votre écriture et de
votre moralité. J'avais jusqu'ici constaté l'excellence
de l'une comme de l'autre. Je commence à déchan-
ter, mon ami.

LE SECRÉTAIRE

Je vous jure que rien dans mon attitude n'a pu
inciter ces demoiselles...

LE GÉNÉRAL

Ne noyez pas le poisson, monsieur! Rien dans
votre attitude non plus n'a pu vous inciter ce matin
à embrasser Mlle de Sainte-Euverte sur la bouche?

LE SECRÉTAIRE

Elle me prenait pour un autre, mon général.

LE GÉNÉRAL

Raison de plus! Vous êtes un imposteur, monsieur!

LE SECRÉTAIRE

Ce n'est pas tout, mon général; c'est beaucoup
plus grave ce qui s'est passé.

LE GÉNÉRAL *se rapproche, terrifié.*

Saperlotte! Vous savez que je ne badinerai pas
toujours. Vous ne vous êtes pas contenté de
l'embrasser?

LE SECRÉTAIRE

Oh, si! Qu'aurais-je pu faire d'autre?

LE GÉNÉRAL, *rassuré.*

Je ne sais pas, moi... lui prendre les mains.

LE SECRÉTAIRE

Je lui ai pris aussi les mains. Mais ce n'est pas
cela qui est terrible, mon général. Ce qui m'épouvante, c'est que, lorsque je la tenais dans mes bras,
j'ai cru un instant, vraiment, que c'était moi qu'elle
aimait.

LE GÉNÉRAL, *calmé.*

Elle n'avait pas sa connaissance, mon pauvre
garçon.

LE SECRÉTAIRE, *amer.*

Oh! je sais bien qu'elle m'appelait Léon!

LE GÉNÉRAL, *dégagé.*

Léon? Quelle coïncidence! Le nom de son fiancé
sans doute.

LE SECRÉTAIRE

Mais c'est tout de même à moi qu'elle parlait.
Cela je le sais bien, quelque chose en moi me le dit.
Et depuis, je dois vous l'avouer, mon général — et
je suis prêt à supporter les conséquences de cet
événement redoutable et merveilleux — je crois
bien que je l'aime aussi.

LE GÉNÉRAL *éclate de rire.*

Ah! ah! Elle est bien bonne. Et vous croyez
qu'on aime comme cela, mon garçon? Du premier
coup et pour toujours? Foutaises! Vous devez vous
gaver de romans à quatre sous.

LE SECRÉTAIRE

Non, monsieur, d'ouvrages classiques, exclusivement. Mais tout s'y passe souvent ainsi. *(Il ajoute, digne.)* Je compte, d'ailleurs, avouer ma faute à cette jeune femme, quand elle sera revenue à elle, et lui offrir de réparer.

LE GÉNÉRAL

Lui avouer? Lui avouer quoi? Mais vous n'en ferez rien, mon ami, je vous le dis! Ou vous aurez affaire à moi. Vous n'allez pas aller embrouiller les idées de cette malheureuse. Il ferait beau voir qu'elle sache que quelqu'un a osé l'embrasser.

LE SECRÉTAIRE

Mais elle me le demandait, monsieur!

LE GÉNÉRAL

Raison de plus. Il ferait beau voir qu'elle sache qu'elle demandait à quelqu'un de l'embrasser. Mais, ah, cela! monsieur, seriez-vous un hypocrite, un intrigant, un suborneur? Est-ce que je vais devoir vous apprendre, en vous tirant les oreilles, ce que c'est que l'honneur d'une jeune fille? Déjà, je vous ai vu, mon gaillard, avec la petite femme de chambre que nous avions ici avant. Ne niez pas! Je vous dis que je vous ai vu.

LE SECRÉTAIRE

C'était elle qui me cherchait, monsieur. Je la fuyais. Elle était toujours derrière moi dans les couloirs...

LE GÉNÉRAL

Ah! la garce! Enfin, je veux dire l'effrontée...

LE SECRÉTAIRE

Elle disait qu'elle n'en pouvait plus de cette baraque — ce sont ses termes, mon général — et qu'il lui en fallait absolument un de vingt ans.

LE GÉNÉRAL *l'arrête d'une voix tonnante.*

Jeune homme! Vous débutez dans la vie. Je veux croire que vous n'avez pas un mauvais fond, mais vous me paraissez manquer totalement de principes. On vous a confié à moi — je pourrais être votre père — il est de mon devoir de vous les inculquer. Taisez-vous! Vous parlerez quand vous aurez la parole. D'abord, un premier point sur lequel il est interdit de plaisanter : l'honneur. Vous savez ce que c'est que l'honneur?

LE SECRÉTAIRE

Oui, mon général.

LE GÉNÉRAL

Je veux le croire. Quand on est bien né — et malgré l'incertitude de vos origines, je persiste à penser que vous êtes bien né — on a son honneur tout petit. Vous êtes nourri d'ouvrages classiques, me dites-vous? Je n'ai donc pas à vous apprendre la fable de ce gamin spartiate qui, ayant dérobé un renard et l'ayant caché sous sa tunique, préféra se laisser dévorer l'estomac plutôt que d'avouer son larcin? Cette fable admirable comporte une leçon. Voulez-vous me la dire, monsieur?

LE SECRÉTAIRE, *après un temps d'hésitation.*

Il ne faut jamais avouer.

LE GÉNÉRAL

Non, monsieur! Mauvaise réponse

LE SECRÉTAIRE

Il ne faut jamais voler de renard.

LE GÉNÉRAL

Non plus, monsieur. Le vol était une première faute, je vous le concède. On ne doit pas voler, c'est contraire à l'honneur. Mais c'était fait. Que restait-il à faire à notre jeune Spartiate?

LE SECRÉTAIRE

A rendre le renard et à subir sa punition.

LE GÉNÉRAL

C'est déjà mieux. L'obéissance aux lois librement acceptées, la soumission à ses supérieurs hiérarchiques sont à la base de toute civilisation. En avouant et en restituant le fruit de son vol notre gamin faisait preuve, tout jeune qu'il était, de civisme. Mais en se laissant dévorer l'estomac sans une plainte, il faisait mieux, il montrait qu'il avait de l'honneur. Dégagez la leçon, maintenant que je vous ai mis sur la voie.

LE SECRÉTAIRE

Quand on a fait quelque chose de contraire à l'honneur, l'honneur c'est de ne jamais en convenir.

LE GÉNÉRAL

Non, monsieur! Cela c'est l'orgueil, qui est un défaut insupportable.

LE SECRÉTAIRE

Je donne ma langue, mon général.

LE GÉNÉRAL

Ah! vous donnez votre langue? Vraiment? Je

vois que le sens de l'honneur vous étouffe! Vous
fais pas mon compliment. Elle est propre la jeune
génération! Si monsieur Déroulède compte sur
vous pour laver le drapeau! Mais passons. Le sens
de cette fable est bien simple, monsieur. L'honneur
commande de ne pas voler. Bon. Je vole. (Quand
on n'est pas un jean-foutre on passe par-dessus les
lois de temps en temps.) Mais il est bien entendu,
une fois pour toutes, que je ne suis pas capable de
forfaire à l'honneur. C'est là qu'est le principe. Je
suis pris. (Ça, c'est l'accident. Il ne faut jamais se
faire prendre.) Vais-je avouer, moi, jeune Spartiate,
que j'ai manqué à l'honneur? Non. Je ne peux pas
manquer à l'honneur. Donc, il n'y a pas de renard
sous ma tunique. Vous saisissez?

LE SECRÉTAIRE

Non, mon général.

LE GÉNÉRAL

Passons. Vous comprendrez quand vous serez
plus grand. Retenez seulement de tout ceci qu'il
faut respecter les apparences. Prenons un exemple
plus familier. Vous couchez avec la bonne.

LE SECRÉTAIRE, *indigné.*

Oh, mon général!

LE GÉNÉRAL

Ne roulez pas des yeux blancs : vous avez failli le
faire, hypocrite! Et si vous n'étiez pas un imbécile
vous l'auriez fait. La chair est faible si l'honneur est
fort. Vous avez le sang chaud, vous l'avez dans la
peau cette petite; quand elle vous frôle au passage,
cela vous fait boum dans l'estomac. Allez-vous,

pourtant, lui pincer les fesses à table en plein milieu du déjeuner?

LE SECRÉTAIRE, *rougissant à cette hypothèse.*

Oh non, mon général!

LE GÉNÉRAL

Non. Vous lui dites : « Léontine, veuillez nous apporter du pain. » Et pourtant vous savez bien que ce n'est pas de la miche que vous avez envie. Seulement, vous avez su maîtriser vos passions. Tout est là. Le déjeuner se déroule, irréprochable, et, le café pris, vous passez à l'office où vous pouvez faire tout ce que vous voulez.

LE SECRÉTAIRE

Oui, mon général.

LE GÉNÉRAL

La vie est un long déjeuner de famille — ennuyeux, comme tous les déjeuners de famille, mais nécessaire. D'abord, parce qu'il faut bien se nourrir; ensuite, parce qu'il faut le faire, pour ne pas tomber au niveau des bêtes, suivant un cérémonial longuement éprouvé, avec des ronds de serviette à son chiffre, des dessous de plats à musique, des fourchettes de tailles différentes selon les plats et une sonnette à pied sous la table. Mais attention! ce sont les apparences. C'est un jeu qu'on a décidé de jouer parce qu'une longue expérience a appris à des tas de gens qui n'étaient pas plus bêtes que vous et moi, que c'était la seule façon de s'en tirer. Il faut donc jouer le jeu, selon les règles; répondre aux questions des enfants, partager la tarte en parts égales, gronder le plus petit qui bave, plier convenablement sa serviette et la remettre dans son rond — jusqu'au café. Mais le café bu — ni vu ni connu je t'embrouille — c'est la loi de la jungle qui reprend ses droits. Il ne faut tout de même pas être un imbécile. Taisez-vous! Vous parlerez quand vous aurez la parole. Je vous vois venir avec vos gros sabots... Vous êtes jeune, vous croyez à la lune; vous allez me dire : « Tout cela, ce n'est même pas du Machiavel, c'est de l'hypocrisie bourgeoise », — et l'idéal? qu'est-ce qu'il devient l'idéal?

LE SECRÉTAIRE

Oui, mon général.

LE GÉNÉRAL

Hé bien, l'idéal, il se porte bien, mon garçon. Je nous souhaite à tous deux de nous porter comme lui! L'idéal, mon ami, c'est la bouée de sauvetage. On est dans le bain, on barbote, on fait ce qu'on peut pour ne pas se noyer — on peut tenter de nager dans la bonne direction malgré les courants contraires, l'essentiel c'est de nager une brasse classique suivant les principes de natation reconnus — et, si vous n'êtes pas une brute, de ne jamais perdre la bouée du regard. On ne vous demande pas davantage. Maintenant, si vous faites pipi dans l'eau de temps en temps, c'est votre affaire. La mer est grande et, si le haut de votre corps a toujours l'air de nager la brasse, personne ne vous dira rien.

LE SECRÉTAIRE

Mais alors, on n'atteint jamais la bouée, mon général?

LE GÉNÉRAL

Jamais. Mais quand on est un homme de cœur,

on ne la perd jamais de vue non plus. C'est déjà
beau. Les quelques excentriques qui essaient des
nages plus rapides pour l'atteindre, coûte que
coûte, éclaboussent tout le monde et finissent
toujours par se noyer, entraînant je ne sais combien
de malheureux qui auraient pu continuer à barboter
bien tranquillement autour d'eux — dans le bouil-
lon. Vous avez compris?

                    LE SECRÉTAIRE

   Mon général, est-ce que je peux cependant
ajouter quelque chose?

                    LE GÉNÉRAL

Faites, mon ami. Vous avez la parole maintenant.

                    LE SECRÉTAIRE

   J'ai vingt ans, mon général. J'aime mieux essayer
d'aller vite et me noyer.

         LE GÉNÉRAL, *doucement, après un silence.*

   Vous avez raison, mon garçon. C'est ignoble de
vieillir et de comprendre. (*Il crie soudain :*) Lieutenant Saint-Pé, sorti second de Saumur! Volon-
taire! Moi aussi! Foutu pour foutu, j'aime mieux
me noyer! Je ne vous disais tout cela que parce qu'il
faut le dire. Tâchez tout de même de ne pas faire
noyer les autres, même pour le bon motif. C'est
cela qui est trop lourd, faire mal aux autres,
toujours, quoi qu'on fasse. Je me suis habitué à
tout, mais pas à cela.

      LA VOIX DE LA GÉNÉRALE *glapit soudain à côté.*

   Léon!

LE GÉNÉRAL *répond.*

Oui!

LA VOIX

Léon! Où es-tu?

LE GÉNÉRAL, *un peu las.*

Je suis là. Je suis là, sapristi. Je suis toujours là.

LA VOIX

Viens près de moi, Léon! Dieu sait ce que tu es en train de faire pendant que tu crois que je dors.

LE GÉNÉRAL *sourit, regardant le secrétaire.*

Le Jacques, ma bonne amie. Avec un gaillard qui ne m'écoutait même pas et qui avait bien raison, saperlotte! *(Il lui tape sur l'épaule.)* Puceau, va! Sacré veinard de petit puceau tout neuf! Attendez, mon garçon, ce n'est pas si pressé que cela après tout — même si on se moque de vous — attendez d'avoir trouvé la vraie (et avec celle-là vous n'aurez, miraculeusement, plus peur), mais quand vous l'aurez trouvée, sacrebleu! n'attendez pas dix-sept ans.

LE SECRÉTAIRE

Non, mon général.

LE GÉNÉRAL

Tout de suite! Rappelez-vous bien ce conseil : Tout de suite! Et vers la bouée, côte à côte, on ne nage proprement qu'à deux. Serrez-moi la main. J'y vais aussi. Mais il se peut qu'un de nous deux se noie en route.

La générale a crié encore une fois : « Léon. »
Il entre dans sa chambre.

LE GÉNÉRAL, *disparaissant dans la chambre.*

Voilà, madame! Je suis à vous une dernière fois!

LE SECRÉTAIRE, *resté seul.*

Tout de suite! C'est tout ce que je retiens de ses
conseils.

*Il prend visiblement son courage à deux mains
et se dirige vers le petit salon où il entre. On
entend la voix endormie de Mlle de Sainte-
Euverte qui murmure :*

VOIX DE MADEMOISELLE DE SAINTE-EUVERTE

Léon! Tu es revenu, Léon! C'est donc vrai que
je ne serai plus jamais seule? Oh, Léon!

*Un silence. La scène reste vide, le secrétaire
reparaît tout rouge.*

LE SECRÉTAIRE

C'est affreux, encore une méprise! due, cette
fois, au gardénal. Et pourtant, malgré l'action du
remède, quelque chose me dit qu'elle ne se
méprend pas tout à fait. Comme c'est intéressant de
vivre!... Les Bons Pères ne m'avaient pas dit.
Refaisons un peu notre courage, et, cette fois,
avouons-lui avec certains ménagements que c'est
nous.

*Il refait un peu son courage et rentre dans le
petit salon.*

RIDEAU

ACTE IV

*Même décor, mais le mur qui dissimulait la chambre
de la générale a été enlevé.*

*C'est la fin du jour. On a fermé les volets dans la
chambre du général déserte comme dans l'autre.
Ombre et silence. La générale est couchée en caraco et
bonnet de nuit, droite dans ses oreillers sur son lit
monumental à courtepointe. Le général est debout dans
la chambre.*

LE GÉNÉRAL

Il faut que cette explication entre nous soit
définitive, madame.

LA GÉNÉRALE

J'ai voulu mourir, monstre, cela ne te suffit pas?

LE GÉNÉRAL

Vous étiez étendue sur le ballast. C'était une
position incommode, mais sans danger. Le train
était passé.

LA GÉNÉRALE

Je ne le savais pas. Je l'attendais.

LE GÉNÉRAL

Sur cette ligne d'intérêt local, vous en aviez pour vingt-quatre heures; vous auriez eu des courbatures avant.

LA GÉNÉRALE

Tu ne respecteras donc jamais rien! Tropmann! Brute! Savonarole! J'aurais pu mourir de froid dans la nuit.

LE GÉNÉRAL

Nous sommes en avril. Et le printemps est précoce. On crève de chaleur.

LA GÉNÉRALE

D'insolation, alors. D'inanition, que sais-je? De peine! Oui, tout simplement de peine, dans mon état.

LE GÉNÉRAL

De peine, vous le pouvez dans votre lit, madame. Quand vous voudrez. Inutile de nous faire tordre les chevilles pour vous retrouver à plus de trois kilomètres, en équilibre sur deux rails. C'était ridicule. Comme tout ce que vous faites, toujours.

LA GÉNÉRALE

Je suis une grande malade! Le docteur te l'a-t-il assez dit que tout était à craindre dans mon état.

LE GÉNÉRAL

Le docteur est un jean-foutre qui se laisse embobiner par vous. Et la médecine n'y connaît rien.

LA GÉNÉRALE

Nie tout! Salis tout! Comme toujours. Mon
amour, ma peine, et la médecine maintenant! J'ai
voulu véritablement mourir et cela devrait suffire
pour te faire tomber, sanglotant, à mes pieds, si ton
cœur n'était pas de pierre.

LE GÉNÉRAL

Mon cœur n'est pas de pierre, hélas, madame!
Mais j'économise mes larmes, je deviens vieux.

LA GÉNÉRALE

Une femme qui t'a donné sa jeunesse, qui s'est
sacrifiée pour toi. *(Elle crie :)* Assassin!

LE GÉNÉRAL

Silence, on peut vous entendre.

LA GÉNÉRALE

Je veux qu'on m'entende! Je veux qu'on nous
juge et qu'on sache qui tu es! Que tu fasses horreur
aux autres, comme tu me fais horreur! Assassin!
Assassin! Tortionnaire!

LE GÉNÉRAL

Foutre, madame! Silence, ou je sors. Expli-
quons-nous posément.

LA GÉNÉRALE

Je souffre trop! Tu ne souffres pas, toi. Tu es en
bonne santé, toi. Tu es debout habillé le matin, tu
montes à cheval, tu vas au jardin, tu vas au café. Tu
vis, toi! Tu me nargues, sur tes deux jambes,
pendant que je suis clouée sur mon fauteuil. Tu
n'as donc pas honte de te porter bien?

LE GÉNÉRAL

Sac à papier! Vous n'êtes clouée sur votre fauteuil que parce que vous le voulez bien. Nous le savons maintenant.

LA GÉNÉRALE

Tu oses dire que je ne suis pas malade? Que je n'ai pas maigri de seize kilos?

LE GÉNÉRAL

Qu'en savez-vous? Vous refusez de vous peser.

LA GÉNÉRALE

Je sais que j'ai maigri de seize kilos! Je n'ai pas besoin de vos balances truquées au docteur Bonfant et à toi.

LE GÉNÉRAL

Vous mangez comme tout le monde.

LA GÉNÉRALE, *hors d'elle.*

Je mange? Tu oses dire que je mange, monstre? J'ai dit à Eugénie de te montrer à chaque repas ce que je laisse sur mon plateau et tu oses dire que je mange?

LE GÉNÉRAL

Le cérémonial du plateau, on vous le passe. Nous savons que vous mettez votre coquetterie à renvoyer vos plats presque intacts. Mais, entre les repas, vous vous faites monter de très confortables sandwiches. Niez-le.

LA GÉNÉRALE

Quand je n'en peux plus! Quand je vais défaillir d'inanition! D'ailleurs, comment le sais-tu, sinon parce que tu as écouté les ragots de cette bonne, de cette femme qui me hait!

LE GÉNÉRAL

Vous mentez. Elle vous soigne fort bien. Elle vous porte votre pot, vos tisanes, avec une patience que j'admire, madame. Vous croyez que c'est drôle de s'occuper de vous?

LA GÉNÉRALE

Elle est payée pour le faire, mais elle me hait. Elle profite de mon impuissance, de mes pauvres jambes malades. Quand je lui demande mes bijoux, elle m'apporte un jeu de cartes; quand je lui demande mon mouchoir, elle m'apporte un peigne ou un tire-bouton. Et cela lui est bien égal si ces contrariétés aggravent mon mal. C'est égal à tout le monde dans cette maison que je souffre!

LE GÉNÉRAL

Vous la sonnez cent fois par jour. Il faut être un jobard comme moi, madame, pour croire encore à vos douleurs... Quant à vos pauvres jambes malades, Dieu merci, nous n'en parlerons plus. Elles vous ont fort bien soutenue en équilibre sur la glycine tout à l'heure et jusqu'à la voie de chemin de fer. Je vous soupçonne de vous les dégourdir dans votre chambre, toutes les nuits.

LA GÉNÉRALE

Si tu avais quelque chose à la place de cette pierre dans ta poitrine, tu aurais compris que c'était le sursaut de la bête qui veut mourir. Un effort surhumain vers le néant et vers l'oubli. Appelle ton complice, appelle le docteur Bonfant avec son marteau de caoutchouc, qu'il les prenne, mes

réflexes et, malgré sa mauvaise foi, il sera obligé
d'en convenir.

LE GÉNÉRAL

Tonnerre de Brest! C'est trop commode,
madame. Je ne marche plus pour vous embêter;
pour vous embêter, je marche, et puis, toute
réflexion faite, pour vous embêter encore, je ne
marche plus!

LA GÉNÉRALE

Ce sont mes nerfs, mes pauvres nerfs que tu as
brisés à me torturer depuis vingt ans. Contemple
ton œuvre et ne t'en prends qu'à toi.

LE GÉNÉRAL

Je vous dis que c'est trop commode, madame!

LA GÉNÉRALE

Trop commode pour toi, peut-être, oui! Plains-
toi. Plains-toi. Pendant que je souffre, clouée à ma
chaise, toi qui marches bien tranquillement sur tes
grosses jambes, où vas-tu?

LE GÉNÉRAL

De mon bureau, au jardin, vous répondant tous
les quarts d'heure.

LA GÉNÉRALE

Et dans le jardin, qu'est-ce qu'il y a? Réponds,
porc, coureur, chien lubrique?

LE GÉNÉRAL

Je ne sais pas, moi, des roses.

LA GÉNÉRALE *ricane.*

Des roses! Pauvre hypocrite qui n'a même pas le courage de son vice et de sa laideur. Il y a Mme Tardieu derrière la haie mitoyenne. Cette horrible femme qui joue à te montrer son corsage en se penchant sur ses boutures. Êtes-vous bêtes, les hommes! On les connaît pourtant, dans le pays, les seins de Mme Tardieu. Des baleines, du caoutchouc, du fer peut-être! C'est étayé comme une maison en ruine.

LE GÉNÉRAL

Boh. Boh. Boh. Après tout, je n'y ai pas été voir.

LA GÉNÉRALE

Tu ne rêves que de cela, imbécile! Tu seras bien déçu, quand le grand jour arrivera... Mais derrière la grille du fond, qui donne sur le chemin de l'école, à midi et à quatre heures, il y en a de plus jeunes, n'est-ce pas? Les petites filles de chez les Sœurs! Satyre! Un jour, les parents se plaindront.

LE GÉNÉRAL

Vous divaguez, madame. Elles me disent bonjour en passant, je leur réponds.

LA GÉNÉRALE

Et à la distribution des prix — que tu t'arranges toujours pour présider, vieux faune — quand tu les embrasses, tout rouge dans ton uniforme?

LE GÉNÉRAL

C'est l'usage.

LA GÉNÉRALE

Ce que tu penses, à ce moment-là, n'est pas l'usage, tu le sais bien! Tu les chatouilles. Si! Tu leur chatouilles la poitrine en te penchant avec tes décorations. Ne dis pas non. Je t'ai vu!

LE GÉNÉRAL

Eh bien! qu'il ne leur arrive rien de plus grave, en grandissant, et nous en ferons des rosières!

LA GÉNÉRALE

Parlons-en des rosières! Pour elles aussi, tu es toujours prêt à présider. Celle de l'année dernière, cette coureuse, tu lui as dit quelque chose à l'oreille en l'embrassant. On me l'a rapporté.

LE GÉNÉRAL, *goguenard.*

Ce que je lui ai dit? Vous m'étonnez, madame.

LA GÉNÉRALE

Tu lui donnais un rendez-vous, je le sais. D'ailleurs, je l'ai vue passer depuis. Elle est enceinte.

LE GÉNÉRAL

Mais non, elle a tout simplement engraissé. Brisons là, madame. Sur ces sornettes, vous ne tarissez pas. Nous serons encore là demain. J'ai de graves choses à vous dire.

LA GÉNÉRALE

Mes bonnes aussi engraissent l'une après l'autre, et je ne dois pas m'étonner!

LE GÉNÉRAL

Brisons là, vous dis-je, madame, et parlons

sérieusement. Vous me trompez, madame, voilà le
fait. Tout le reste n'est qu'amusettes. Vous avez
écrit au docteur Bonfant que vous l'aimiez. J'ai les
preuves, là, dans mon portefeuille; noir sur blanc,
avec deux fautes d'orthographe qui authentifient
votre main. Car vous m'avez toujours accusé d'être
un balourd, de ne rien comprendre à Wagner ou à
Baudelaire — d'avoir étouffé l'essor de votre esprit
vers les hautes sphères de la littérature et de l'art —
mais, quand je vous ai prise, vous étiez une femme
de rien, gavée de mauvais romans-feuilletons, voilà
tout. Et pour les participes passés : bernique! Vous
n'avez jamais su les accorder. Vous n'avez jamais
été à l'école.

LA GÉNÉRALE

Comme tu es laid! Je voudrais que tu t'entendes.
Venir me reprocher, sur mon lit de mort, mon
enfance malheureuse! Et d'abord, tu te trompes,
imbécile, j'ai été plus d'un an pensionnaire avec des
filles d'ambassadeurs et de consuls dans le couvent
le plus select de Paris.

LE GÉNÉRAL

Où votre mère faisait des journées de couture et
où on vous recueillait aux cuisines par charité.

LA GÉNÉRALE

Ma pauvre maman et moi avons souffert sans
doute. Je ne l'ai jamais nié. Je m'en fais gloire.
Chassées de partout après la mort tragique de mon
père, tué en duel, j'ai dû faire du théâtre dès quinze
ans et mon instruction proprement dite a peut-être
pu en souffrir — quoique l'instinct chez les êtres de
race pallie toujours tout! Mais tu ne dois pas
oublier que ma mère était une femme d'infinie

distinction. Autre chose qu'une petite bourgeoise de province, comme la tienne. Tout enfant, elle m'a appris à aimer la beauté, à moi!

LE GÉNÉRAL

Il n'y a pas de sots métiers, madame, mais votre mère était habilleuse à l'Opéra.

LA GÉNÉRALE

Elle avait accepté ce poste sur les instances du directeur, uniquement par amour de la musique! Ma mère était une grande cantatrice, une voix comme on n'en entendra plus — qui s'était tragiquement brisée d'émotion, au cours d'un accident de chemin de fer. Pourquoi tenter de la salir, elle aussi? Je t'ai mille fois raconté sa malheureuse histoire.

LE GÉNÉRAL

Vous m'avez mille fois rompu la tête avec votre roman de quatre sous; c'est exact. Mais votre mère et vous étiez des femmes de peu quand j'ai fait la folie de vous épouser. Voilà ce qui est vrai, madame.

LA GÉNÉRALE

Une femme de peu, ma mère? Une femme à qui monsieur Gounod a baisé la main au cours d'un gala de charité? J'aurais voulu que tu la visses jeune, avant que la vie la brise, parée de tous ses bijoux. Tu n'aurais pas seulement été digne de lui essuyer ses chaussures, balourd! Ah! J'ai connu dans ma jeunesse, près d'elle, un autre monde que le tien, mon pauvre ami!

LE GÉNÉRAL

Disons le mot, votre mère était une femme entretenue, madame! qui a fini sordidement, comme toutes ses pareilles quand elles ne réussissent pas à coiffer un imbécile à temps, comme vous. Et votre père était un acrobate de cirque, je le sais. L'histoire du duel, je la connais depuis belle lurette : il s'est fait suriner par un garçon de piste à qui il ne voulait pas rendre de l'argent misé en commun sur le gagnant du Grand Prix.

LA GÉNÉRALE

Tu mens! Il a échangé sa carte avec un diplomate étranger qui avait triché honteusement au baccara dans un des cercles les plus fermés de la capitale. Ils se sont rencontrés à l'épée au bois de Boulogne. Tous les journaux de l'époque en ont parlé.

LE GÉNÉRAL

Après tout! Si cela vous amuse, comme vous voudrez. Vos origines douteuses m'expliquent cependant bien des choses, aujourd'hui. Mais revenons à ces lettres, madame. Les avez-vous écrites ou non? L'appelez-vous Armand ou non? Lui dites-vous — ou non — que ses cheveux sentent la vanille quand il vous ausculte, et que vous feignez d'avoir mal au ventre pour qu'il vienne vous le palper? C'est écrit, noir sur blanc, avec deux fautes d'orthographe, moi je ne sors pas de là!

LA GÉNÉRALE

Comment as-tu pu être assez abject pour venir fouiller dans ma chambre?

LE GÉNÉRAL

Je n'ai pas fouillé dans votre chambre, madame.
J'ai eu ces lettres, un point c'est tout. Comment?
Cela ne vous regarde pas.

LA GÉNÉRALE

Ah! Tu trouves que cela ne me regarde pas?
C'est admirable! Ces lettres étaient dans ma cassette, ou, peut-être, dans le tiroir de ma table de
nuit avec mes bigoudis et d'autres objets intimes.
Tu me dis que tu les as dans ton portefeuille, et
c'est toi qui oses me questionner? C'est un comble!
Mais ton inconscience m'épouvante, Léon! Il y a
longtemps que je sais que tu es une brute et que je
te méprise. Mais tout de même, je pensais que tu
étais resté un gentleman!

LE GÉNÉRAL

Foutre, madame! Il faut s'entendre, il n'est pas
question de savoir pour l'heure si je suis ou non un
gentleman. Il est question de savoir si vous me
faites cocu.

LA GÉNÉRALE

Si tu as été capable de me voler sordidement ces
lettres, tu le mérites et je ne te répondrai même pas.
Ah! Tu fouilles dans les tiroirs d'une femme, mon
bonhomme! Ah! Tu essaies de la déshonorer tor-
tueusement, toi un officier supérieur? Hé bien,
je le dirai. Je le dirai à tout le monde! Je me lèverai,
je retrouverai, pour un jour, l'usage de mes pauvres
jambes et, en plein Cercle militaire, le soir de la
réception du Concours hippique, devant tous les
véritables hommes du monde de la garnison, je
ferai une entrée sensationnelle et je dirai tout!

LE GÉNÉRAL

Je vous dis que je n'ai pas fouillé, madame!
Suffit!

LA GÉNÉRALE

C'est trop commode de nier. As-tu ces lettres?

LE GÉNÉRAL

Parfaitement.

LA GÉNÉRALE

Montre-les.

LE GÉNÉRAL

Pas si bête!

LA GÉNÉRALE

C'est bien. Si tu as vraiment ces lettres dans ton
portefeuille, il n'y a plus rien de commun entre
nous, qu'un océan de mépris. Tu peux sortir, je
suis fatiguée, je dors.

Elle ferme les yeux et s'immobilise.

LE GÉNÉRAL

Non, madame, vous ne dormez pas. Ce serait
trop facile! Ouvrez les yeux. Je vous ordonne
d'ouvrir les yeux, vous m'entendez, ou je vous les
ouvre de force. *(Il la secoue.)* Madame, madame.
Amélie. Je sais que vous ne dormez pas. Ouvrez vos
yeux. *(Il la secoue, la tapote, ouvre de force ses
paupières sur ses globes blancs, il commence à s'affo-
ler.)* Voulez-vous revenir à vous, saperlotte. Quelle
nouvelle comédie jouez-vous là?

LA GÉNÉRALE, *faiblement.*

Mon cœur.

LE GÉNÉRAL

Quoi, votre cœur?

LA GÉNÉRALE

Il s'en va. Il est de plus en plus petit, c'est le grelot d'une sonnette... Adieu, Léon! Je n'ai jamais aimé que toi.

LE GÉNÉRAL

Ah! non. Pas votre syncope! Nous n'avons même pas crié. Votre syncope, ce n'est qu'après les grandes scènes. Madame, revenez à vous. Vous êtes chaude, votre pouls est bon. Je ne marche pas! *(Il la secoue.)* Madame! Nom de Dieu, madame. Amélie. Amélie. Vous ne pouvez pas être aussi raide. Vous le faites exprès. Je vais vous donner vos gouttes. *(Il cherche dans les flacons sur la table de nuit.)* Cré nom de nom. Quelle pharmacie! Allez vous y reconnaître dans tous ces remèdes. Il y aurait de quoi rendre malade quelqu'un de plus résistant que vous. Naturellement, pas de compte-gouttes. Où Eugénie l'a-t-elle fourré? Tant pis, un peu plus un peu moins, au point où on en est. Tenez, buvez, Amélie, et si cela ne suffit pas, je vais faire appeler le docteur. Allons, je vous tiens la tête, desserrez vos dents, mon amie. Desserrez vos dents, saperlotte! Tout coule sur votre caraco. Bon Dieu de bois! Votre pouls est pourtant bon. Je ne sors pas de là, moi. Je vais vous faire votre piqûre.

LA GÉNÉRALE, *faiblement, les yeux fermés.*

Tu fouilles encore, Léon. Tu me soupçonnes pendant que je suis en train de mourir.

LE GÉNÉRAL

Mais je ne fouille pas, saperlotte. Je cherche votre boîte de piqûres.

LA GÉNÉRALE

Trop tard. Va plutôt chercher les enfants... Et tâche, quand je ne serai plus là, de ne pas leur rendre, par ton égoïsme, la vie aussi dure qu'à moi.

LE GÉNÉRAL

Mais vous n'allez pas mourir, mon amie, que nous chantez-vous? Ce n'est rien, c'est votre faiblesse. Je vais faire appeler Bonfant.

LA GÉNÉRALE

Non. C'est trop tard. Ne bouge pas. Je t'en supplie, Léon. Reste. Tiens-moi la main comme autrefois, lorsque j'étais malade. Tu me soignais alors, tu avais de la patience. Tu me bassinais les tempes d'eau de Cologne avec des petits mots d'amour.

LE GÉNÉRAL *cherche le flacon, grommelant.*

Je peux encore vous frotter avec un peu d'eau de Cologne...

LA GÉNÉRALE

Mais sans les petits mots d'amour... C'est de cela que je meurs, assassin.

LE GÉNÉRAL

Allons, ne dites pas de bêtises. *(Il lui passe de l'eau de Cologne sur le visage.)* Là! Cela va vous faire revenir à vous.

LA GÉNÉRALE

Tu as peur, hein, de l'entendre? Je meurs de ne plus être aimée de toi, Léon!

LE GÉNÉRAL

Mais non. Mais non... Pas d'histoires! D'abord, vous ne mourrez pas, c'est inexact, et vous savez bien, mon amie, que je suis toujours plein d'attentions pour vous.

LA GÉNÉRALE

Des attentions! Que crois-tu que cela me fasse? Je veux que tu m'aimes comme autrefois, Léon. Quand tu me prenais dans tes bras en disant : « Ma petite fille. » Quand tu me mordais partout. Je ne suis plus ta petite fille pour me porter nue jusqu'à mon bain?

LE GÉNÉRAL, *gêné.*

Amélie, nous grandissons tous. Ces enfantillages de jeunes amants, cela n'a qu'un temps, comme tout ici-bas.

LA GÉNÉRALE, *dans une plainte ridicule.*

Pourquoi ne me mords-tu plus jamais partout comme un jeune chien, Léon?

LE GÉNÉRAL, *de plus en plus gêné.*

Foutre, madame! Les jeunes chiens vieillissent en vingt ans. Je n'ai plus de dents.

LA GÉNÉRALE *se dresse, terrible,*
et d'une vigueur étonnante soudain, malgré sa syncope.

Tu en as, vieux Tartuffe, pour d'autres! Ah! Il s'agit bien de ces lettres, même pas mises à la poste. J'ai d'autres preuves, moi, dans ma cassette, sous

mon matelas. Des lettres envoyées et reçues où il
n'est pas question d'avoir perdu tes dents. Des
lettres où tu fais le jeune homme, pour d'autres. Où
tu te vantes, d'ailleurs, mon pauvre ami, parce que,
à part des prouesses sommaires avec les bonnes, il
ne faut pas croire que tu es capable de grand-chose
sur ce chapitre-là non plus!

LE GÉNÉRAL

Taisez-vous, madame! Vous n'y entendez rien.

LA GÉNÉRALE

J'y entends ce qu'y entendent toutes les femmes
inassouvies par de pauvres petits coqs vite satisfaits,
mon ami. Tu n'as pensé qu'à me tromper toute ta
vie et tu veux me quitter maintenant que je suis
vieille et malade par ta faute, pour apaiser quoi, au
juste, chapon? Ce terrible tempérament? Apprends
d'abord à satisfaire une seule femme, à être un
homme digne de ce nom avec elle dans son lit,
avant d'aller courir dans le lit des autres!

LE GÉNÉRAL

Et je n'ai jamais été un homme dans votre lit,
madame, selon vous?

LA GÉNÉRALE

Vite fatigué, mon ami, vite endormi et quand par
hasard vous aviez un peu de forces, vite comblé.
Ah! Vous clamez partout qu'on vous trompe,
messieurs, que les femmes sont des inconstantes.
Les femmes sont à qui les prend et les garde! Soyez
donc bons à quelque chose et vous serez toujours
aimés!

LE GÉNÉRAL

Tonnerre de Dieu! Soyez toujours belles vous-mêmes et désirables — et nous verrons! Apprenez à nous servir autre chose que ce même plat refroidi, pendant les milliers de jours d'un mariage, et nous vous prouverons peut-être que nous avons gardé de l'appétit! La question ne se pose pas, madame, mais, si vous voulez que nous fassions des comptes, il y a plus de dix-sept ans que je ne vous désire plus. Et si je vous ai tiré des carottes, de-ci de-là, comme j'ai pu, c'était pour me prouver à moi-même que j'étais encore un homme, sacrebleu!

LA GÉNÉRALE

Étonne-toi. Étonne-toi alors, que nous voulions nous prouver que nous sommes encore des femmes, nous aussi!

LE GÉNÉRAL, *superbe*.

Cela n'a aucun rapport, madame. Vous avez l'intégrité du foyer à défendre, l'honneur du nom et les enfants. Et puis, ne vous vantez pas non plus, saperlotte, cela vous travaille si peu, au fond, toutes. Du roman, oui, mais c'est tout.

LA GÉNÉRALE

Qu'en savez-vous, pauvres aveugles?

LE GÉNÉRAL

Nous vous avons vue à l'œuvre, tudieu! même dans vos bons jours... La première curiosité passée — et, ne me faites pas dire de bêtises, mais un ventre c'est vite exploré —, la politesse était sinistre avec vous. Laissez-moi vous l'apprendre si vous ne le saviez pas. Il m'a fallu beaucoup d'imagination,

madame, et très vite! pour me tenir convenablement le soir.

LA GÉNÉRALE

Crois-tu qu'il ne m'en fallait pas moins pour ne
pas être toujours dupée? Nous fermions les yeux
tous les deux dans le lit. Mais pendant que tu
faisais ta petite besogne en imaginant Dieu sait qui
— tu ne te figures pas, tout de même, que c'est à
toi que je pensais?

LE GÉNÉRAL

Comme vous êtes vulgaire, madame, et impu-
dique! Mais passons. Si nous en étions là l'un et
l'autre, pourquoi tant de larmes, de reproches,
pourquoi tant de cris depuis si longtemps?

LA GÉNÉRALE *s'est dressée, terrible.*

Parce que tu es à moi, Léon. Tu es à moi, tu
entends? — pour toujours — si lamentable que tu
sois. Tu es à moi comme ma maison, comme mes
bijoux, comme mes meubles, comme ton nom. Et je
n'accepterai jamais, jamais quoi qu'il arrive, que ce
qui est à moi soit à d'autres!

LE GÉNÉRAL

Et vous croyez que c'est cela, madame, l'amour?

LA GÉNÉRALE, *dans un grand cri effroyable,*
debout sur son lit, en chemise, cauchemardesque.

Oui!

LE GÉNÉRAL

Foutre, madame! Je refuse. Je ne suis pas à vous.

LA GÉNÉRALE

A qui, alors?

LE GÉNÉRAL

A personne, madame. A moi peut-être.

LA GÉNÉRALE

Non! Tu ne t'appartiens plus. Je suis ta femme.
Ta femme devant Dieu et devant la loi. Nous avons
signé le contrat tous les deux et j'ai le droit de te
suivre partout. Tu m'appartiens. Tu en voudrais
bien une plus jeune, maintenant que tu as usé
celle-là? Impossible, mon bonhomme! Et quand je
pourrirais dans mon fauteuil à roulettes, dégoûtante
et inutile et bavante, je serais ta femme encore et tu
n'y pourras rien, qu'avoir honte. Où tu iras, j'irai,
toujours, me faisant pousser, me traînant sur mes
cannes et tout le monde aura peur et rira de toi,
quand je crierai : « Je suis sa femme. »

LE GÉNÉRAL

Foutre, madame! Je vous échapperai.

LA GÉNÉRALE

Non!

LE GÉNÉRAL

Je ferai semblant de ne pas vous connaître!

LA GÉNÉRALE

Je crierai. J'ameuterai tout le monde. Je casserai
les objets et les vitres avec ma canne autour de moi,
et tu seras responsable, tu paieras. Je ferai des
dettes pour te ruiner, je m'achèterai des choses
dans les magasins.

LE GÉNÉRAL

Je vous dis que je prendrai le train et que je disparaîtrai comme dans une trappe. Vous ne saurez pas où je suis.

LA GÉNÉRALE

Tu n'oseras jamais le faire et, si tu le faisais, je te retrouverai au bout du monde! Tu te réveilleras un matin dans un hôtel où tu seras arrivé seul et libre la veille, je serai sur le seuil de la porte, te regardant quand tu ouvriras les yeux et il faudra que tu repartes avec moi!

LE GÉNÉRAL

Et quand je mourrai, sacrebleu! Ferez-vous aussi le voyage? Ne serai-je pas seul dans ma peau?

LA GÉNÉRALE

Quand tu mourras, je te pleurerai et moi seule en aurai le droit. Aucune de celles que tu auras plus aimées que moi ne le pourra dans sa maison. Moi je crierai : « J'étais sa femme. » Je mettrai des voiles noirs de veuve, moi seule, et j'irai sur ta tombe le jour des Morts. J'y ferai graver mon nom d'avance et, quand je mourrai à mon tour, je viendrai me coucher à côté de toi pour l'éternité. Et quand les enfants de nos enfants seront morts, quand nous aurons achevé de pourrir tous les deux côte à côte dans nos boîtes, des gens inconnus en passant liront encore que j'étais ta femme, sur la pierre!

LE GÉNÉRAL

Je vous hais, madame, sacrebleu.

LA GÉNÉRALE

Qu'est-ce que tu veux que cela y fasse? Je suis ta femme.

LE GÉNÉRAL

Je ne veux plus vous voir, plus vous entendre! Et il y a quelque chose d'encore plus fort que ma haine et que mon dégoût. C'est que je meurs d'ennui, madame, à côté de vous.

LA GÉNÉRALE

Moi aussi tu m'ennuies, mais je suis ta femme quand même et à cela tu ne peux rien. Il fallait y penser il y a vingt ans, mon bonhomme, quand tu m'as prise. Ah! tu l'as voulue, ta chanteuse? As-tu assez pleuré à sa porte! L'as-tu assez couverte de fleurs! Tu lui as tout juré. Tu as failli démissionner, pour elle, quand ton colonel refusait son consentement — tu as tout fait, imbécile, pour l'avoir. Hé bien, maintenant, tu l'as!

LE GÉNÉRAL

Mais vous me haïssez aussi, crénom!

LA GÉNÉRALE

Oui, je te hais! Tu as brisé ma carrière. J'avais une voix superbe. Les plus grands espoirs m'étaient permis. Tu as exigé que je renonce au théâtre. Tu as fait de moi ton esclave. Tout ce qu'il y avait de brillant en moi tu l'as écrasé du pied. Les autres hommes m'adulaient, tu leur as fait peur avec ton sabre, tu as fait le vide autour de moi par ta jalousie imbécile, tu m'as désappris d'être belle, tu m'as désappris d'être aimée et d'aimer. J'ai dû tenir ta maison comme une bonne; nourrir tes enfants mal formés — moi dont les seins étaient célèbres!

LE GÉNÉRAL

Vos seins célèbres? Laissez-moi rire. Où les montriez-vous, d'abord? A l'Opéra?

LA GÉNÉRALE

Dans des fêtes d'Art! Chez des gens dont ton petit monde bourgeois ne peut même pas soupçonner le raffinement et le luxe!

LE GÉNÉRAL

Des fêtes d'Art avec vous nue! Tonnerre, madame, j'aurais voulu voir cela!

LA GÉNÉRALE

Rien que des membres du Jockey, la fleur de l'aristocratie! On ne t'y aurait jamais admis. Et ces gens-là me traitaient comme une reine. On effeuillait des roses sous mes pas et, après le souper, on me priait de me faire entendre; la salle croulait sous les bravos et le maître de maison me remettait un diamant magnifique en venant me baiser la main. J'ai été tout cela avant que tu m'éteignes sous ta botte. As-tu jamais pensé, soudard, à tout ce que je t'avais sacrifié?

LE GÉNÉRAL

Pas grand-chose, madame! Vous n'aviez même pas de voix. C'est connu. Vous n'avez jamais obtenu, à force d'intrigues, que des troisièmes rôles pendant la saison d'été. Et vous y étiez si mauvaise qu'une fois la salle entière vous a sifflée, je le sais!

LA GÉNÉRALE

Mes ennemis l'ont prétendu! Et je ne m'étonne
pas de te voir reprendre cette calomnie. La vérité
s'est sue depuis. C'étaient des Américains enthou-
siastes. Ces sifflets étaient un triomphe, mon
pauvre ami! Mais tu es jaloux aussi des succès que
j'ai eus. Tu ne m'as jamais pardonné d'être ta
supérieure en tout. Tu es un petit homme, un tout
petit homme impuissant, et un paon!

LE GÉNÉRAL

Madame, morbleu! tout cela c'est de l'histoire
ancienne. Je suis résolu à demander le divorce. J'ai
ces lettres, qui me suffisent.

LA GÉNÉRALE

Le divorce? Tu ne peux pas vivre seul, tu as bien
trop peur. Qui voudrait de toi, pauvre diable!

LE GÉNÉRAL

J'ai trouvé qui veut de moi.

LA GÉNÉRALE

Elle doit être bien vieille ou bien laide — ou bien
pauvre pour en être réduite là. Je serais curieuse de
la voir. Tu oublies qui tu es maintenant, aveugle!
Regarde-toi dans la glace.

LE GÉNÉRAL

C'est faux. Elle est belle et jeune. Elle m'est
fidèle. Elle m'attend.

LA GÉNÉRALE

Elle t'attend vraiment, pauvre homme? Depuis
combien de temps?

LE GÉNÉRAL

Dix-sept ans.

LA GÉNÉRALE

Tu veux rire, mon ami? Dix-sept ans! Et tu crois qu'elle t'aime? Tu crois que tu l'aimes aussi, toi! Pauvres agneaux, depuis dix-sept ans ils s'attendent!

LE GÉNÉRAL

Oui, madame, et à cause de vous.

LA GÉNÉRALE

Oh! Léon, si je n'étais pas malade, je rirais, je rirais comme une folle! C'est trop bête! C'est vraiment trop bête! Dix-sept ans! Mais si tu l'avais aimée, pauvre imbécile, il y a longtemps que tu m'aurais laissée; il y a longtemps que tu serais parti avec elle, le filer ton parfait amour!

LE GÉNÉRAL

Je suis resté par respect pour votre peine, par pitié pour votre maladie, que j'ai crue longtemps vraie, madame.

LA GÉNÉRALE

Tu es trop bête! Tu crois donc que je ne peux pas bouger mes jambes? Tu crois que je ne pourrais pas danser si je voulais? *(Elle s'est levée en chemise de nuit, cauchemardesque.)* Tiens, regarde! Regarde comme je tiens bien debout. Viens danser avec moi, je t'invite. *(Elle chante, esquissant un pas, en chemise.)* Tra la la, tra la la la la lère!

LE GÉNÉRAL

Laissez-moi. Vous êtes folle! Recouchez-vous!

LA GÉNÉRALE

Non. Tu es mon bel amant et je veux danser avec toi! Comme au bal de l'École de Saumur! Celui de 93, il y a dix-sept ans justement, tu te le rappelles?

LE GÉNÉRAL, *frappé.*

Sac à papier! Pourquoi?

LA GÉNÉRALE

Parce que tu étais si faraud, si brillant, si sûr de toi à ce bal, avec les femmes. Chef d'escadron Saint-Pé. Les claquais-tu bien tes talons, à l'allemande, en te présentant? Les lissais-tu avantageusement tes belles moustaches, les baisais-tu bien, les mains? Je ne l'ai pas oublié, moi, ce bal! Je t'aimais encore et je t'étais restée fidèle comme une idiote, malgré les avances des hommes, malgré tes belles amies que tu m'obligeais à inviter à dîner. Mais à ce bal, j'en ai eu assez tout d'un coup, en une seconde. Tu dansais une valse avec une grande imbécile brune à qui tu parlais à l'oreille et qui minaudait. *La Valse des toréadors.* Je n'ai pas oublié le titre non plus! Tra la la la, tra la la la, la lère! Je me souviens même de l'air! *(Elle chante.)* Je souffrais trop, j'ai voulu partir, quitter la salle. J'étais seule dans l'antichambre pour demander ma voiture... Un homme était là, plus jeune et plus beau que toi, qui m'a aidée. Et quand il a eu trouvé notre coupé dans la file des voitures, il m'a dit que je ne pouvais pas rentrer seule et il est monté pour me raccompagner.

LE GÉNÉRAL

Et alors?

LA GÉNÉRALE

Et alors, toi tu dansais toujours ta valse, mon pauvre homme, avec des ronds de jambe superbes et des airs avantageux... Que crois-tu donc que sont les femmes? Il est devenu mon amant.

LE GÉNÉRAL

Comment? Vous avez eu un amant, madame, et c'est à ce bal de Saumur que vous avez fait sa connaissance? Un homme qui avait tout simplement été chercher votre voiture, un inconnu — je ne vous demande même pas son grade!... Quelle horreur! Mais je veux croire que vous avez eu des scrupules, nom d'un chien, des hésitations tout de même, avant de franchir ce pas, je veux croire que vous avez attendu un peu?

LA GÉNÉRALE

Bien sûr, mon ami, j'étais une honnête femme. J'ai attendu.

LE GÉNÉRAL

Combien de temps?

LA GÉNÉRALE

Trois jours.

LE GÉNÉRAL *éclate.*

Mille millions de tonnerres de sabres de bon Dieu de bois! Moi j'ai attendu dix-sept ans, madame, et j'attends encore!

LA GÉNÉRALE

Et quand celui-là a été nommé je ne sais plus où, au diable, au Tonkin, j'en ai pris un autre, aussi beau, imbécile, et puis un autre et puis un autre encore, jusqu'à ce que je sois trop vieille et qu'il n'y ait plus que toi pour vouloir de moi.

LE GÉNÉRAL

Mais foutre alors! Si vous me trompiez, pourquoi ces larmes, ces reproches, pourquoi ces immenses douleurs? Pourquoi cette maladie? Je ne comprends plus, moi. Je deviens fou!

LA GÉNÉRALE

Pour te garder, Léon! Pour te tenir toujours parce que je suis ta femme. Parce que, même lorsque j'avais mon amant sur le ventre, j'étais ta femme encore et tu n'y pouvais rien; rien qu'avoir honte et élever mes filles et leur donner ton nom, s'il m'en faisait. Et me reprendre le soir dans ton lit après l'autre, avec mes plaintes, mes reproches, mes coups d'ongles — et mon amour! Car je t'aime, Léon, par-dessus le marché. Oui, il faut que tu portes mon amour aussi, avec tes cornes! Je te hais pour tout le mal que tu m'as fait, mais je t'aime — pas tendrement, imbécile, pas en t'attendant dix-sept ans et en t'écrivant des lettres — (j'en ai trouvé une de cette gourde dans tes poches) — pas pour être dans tes bras le soir (nous n'avons jamais fait l'amour tous les deux, pauvre homme, tu le sais bien) — pas pour te parler (tu m'ennuies, tu n'aimes rien de ce que j'aime) — pas pour ton grade non plus, ni ton argent, on m'a proposé davantage : je t'aime parce que, si piteux que tu sois, tu es à moi, mon objet, ma chose, mon fourre-tout, ma boîte à ordures...

LE GÉNÉRAL *recule et crie.*

Non!

LA GÉNÉRALE

Si! Tu le sais. Et quoi que tu puisses promettre à d'autres, tu sais que tu ne seras jamais que cela.

LE GÉNÉRAL

Non!

LA GÉNÉRALE

Si! Tu ne pourras jamais me faire de peine, tu es trop lâche. Tu le sais et tu sais que je le sais aussi!

LE GÉNÉRAL

Non!

LA GÉNÉRALE

Si! Allons, viens, viens danser, mon chéri. Viens danser *La Valse des toréadors*, la dernière, mais avec moi cette fois!

LE GÉNÉRAL

Non!

LA GÉNÉRALE

Si! Je le veux! Et tu veux tout ce que je veux. Viens danser avec ton vieux squelette, avec ta vieille maladie chronique. Viens danser avec ton remords. Viens danser avec ton amour!

LE GÉNÉRAL *se sauve, criant.*

Non! Ne me touche pas, sacrebleu! *(Il crie.)* Lieutenant Saint-Pé! A moi!

> *Elle le poursuit. Il fuit. Ils semblent danser ensemble une valse cauchemardesque. Le général*

est acculé dans un coin, il étend soudain les bras en avant et lui serre le cou en criant.

Carnaval!

La générale se débat dans sa chemise de nuit, tentant d'arracher les mains de son cou.

RIDEAU

ACTE V

Quand le rideau se relève, le mur de la chambre est remis en place. Le général est seul dans sa chambre. C'est la nuit tombée. Il marche comme un ours en cage, ombre dans l'obscurité. Soudain, il s'arrête et clame :

LE GÉNÉRAL

Lieutenant Saint-Pé! Sorti second de Saumur. En avant! Nom de Dieu.

> *Le docteur sort de la chambre de la générale. Le général le regarde sans rien dire.*

LE DOCTEUR

Je viens de lui prendre sa tension. Elle se porte comme un charme. Elle a seulement eu peur.

LE GÉNÉRAL

Moi aussi.

LE DOCTEUR

Moi aussi, mon ami. Cela aurait été bien vilain, tout de même, comme dénouement. Quand votre bonne est arrivée me dire de venir tout de suite, que la générale étouffait, j'ai deviné. Nous mangions la soupe. J'ai tout recraché. Mme Bonfant en a pour quinze jours de reproches pour sa nappe.

LE GÉNÉRAL

Qu'est-ce qu'elle a dit?

LE DOCTEUR, *qui range son appareil.*

Mme Bonfant?

LE GÉNÉRAL

Ma femme.

LE DOCTEUR

Mon pauvre ami, ce lui paraît tout naturel que vous ayez voulu l'estourbir. Le meurtre, c'est l'accessoire habituel de la passion, à l'Opéra. Elle s'incline, à charge de revanche sans doute, et obscurément flattée. Elle est persuadée, plus que jamais, que vous êtes un couple d'amants grandioses et maudits.

LE GÉNÉRAL

Ô dérision! Elle ne comprendra donc jamais tout simplement qu'elle m'ennuie?

LE DOCTEUR

Je crains qu'il faille vous y faire. Jamais.

LE GÉNÉRAL

Mais, mille millions de bon Dieu de sabords! cela ne peut pas tout de même n'être que cela la vie? On aurait dû m'avertir... Et qu'est-ce qu'ils racontent alors dans leurs livres, tous ces jean-foutres?

LE DOCTEUR

Leurs rêves. Ils ont dû être de pauvres bougres, eux aussi.

LE GÉNÉRAL

Mais leurs amours, leurs fuites, leurs éclats, leurs découvertes prodigieuses. Ces filles tendres et jeunes qui les aimaient pour toujours — ces fidélités infatigables, ces émerveillements persistants, par-delà la vieillesse et la mort — et cette joie, cette joie toute simple de ne plus être seul au monde, d'avoir un petit camarade de lutte silencieux et tendre qui se déshabille le soir et se métamorphose en femme? Ce n'était pas vrai, cela non plus, vous croyez? Ils l'imaginaient, ces imbéciles, en écrivant?

LE DOCTEUR

Je le crains.

LE GÉNÉRAL

Mais, sacrebleu, alors, on devrait leur interdire de donner des idées aux gens! Ce sont ceux-là les mauvais livres, pas ceux qui nous racontent des horreurs.

LE DOCTEUR

Il faudra écrire cette idée-là à l'Office de la Bonne Presse, avec un timbre.

LE GÉNÉRAL

Ils ont pourtant tous l'air heureux autour de moi, et tranquilles. Comment font-ils, foutre! pour ne pas souffrir? Qu'ils le disent leur mot de passe. Je veux le savoir et tout de suite. Je n'ai plus le temps d'attendre, maintenant.

LE DOCTEUR

Cher vieil ami, je crois que c'est une question qu'il faut se poser beaucoup plus jeune.

LE GÉNÉRAL *hurle.*

Je suis jeune! Lieutenant Saint-Pé! Je refuse tout autre grade. C'est un attrape-nigaud. J'ai compris. *(Il demande soudain :)* La médecine n'a rien trouvé, docteur, pour revenir dix-sept ans en arrière?

LE DOCTEUR

Rien encore.

LE GÉNÉRAL

Vous en êtes sûr?

LE DOCTEUR

On l'aurait certainement mentionné dans les revues spécialisées.

LE GÉNÉRAL

Je n'ai pas le cœur à plaisanter. Vous savez ce qui se passe? M\ⁿᵉ de Sainte-Euverte et mon secrétaire s'en sont allés en promenade. Voilà près de deux heures qu'ils sont partis.

LE DOCTEUR

Il n'y a rien là d'extraordinaire. Vous étiez enfermé avec la générale. Vos explications n'en finissaient plus. Ils ont dû décider tout simplement de faire un petit tour en attendant.

LE GÉNÉRAL

Il y a eu ce matin une étrange méprise entre eux. Et puis ils sont partis se tenant par le petit doigt, m'a dit la bonne. Cela vous paraît normal aussi?

Quant à mes filles qui étaient amoureuses du gaillard — une autre révélation de cette étrange journée — et qui surveillaient ses moindres gestes, elles sont également parties en laissant cette lettre sur la commode de leur chambre, avec leurs bijoux de quatre sous enveloppés dans du papier de soie. *(Il tire un papier de sa poche et lit :)* « Nous souffrons trop. Il en aime une autre. Nous préférons mourir... » — Elles aussi, c'est un genre dans cette maison. — « Dites à Mme Dupont-Fredaine de ne pas achever nos robes. » Entre autres qualités primordiales, leur mère leur a inculqué un solide sens de l'économie.

LE DOCTEUR

Diable ! Et elles ne sont pas encore revenues ?

LE GÉNÉRAL

J'ai envoyé le jardinier à leur recherche. Elles doivent être au bord de l'étang en train de se baigner les pieds. Elles sont trop laides pour se tuer. Docteur, je sens que tout dégringole. Comment cela va-t-il finir ?

LE DOCTEUR

Comme dans la vie, ou comme au théâtre, du temps qu'il était encore bon. Un dénouement arrangé, pas trop triste en apparence, et dont personne n'est vraiment dupe — et quelque temps après : rideau. Je parle pour moi comme pour vous. Vous avez vingt-cinq de tension et ma vessie est un sac de pierres. Place aux jeunes ! Qu'ils fassent les mêmes bêtises et qu'ils meurent des mêmes maladies que nous.

LE GÉNÉRAL *gémit.*

Mais je l'aime, moi, docteur, et je suis jeune!

LE DOCTEUR

Je ne sais pas pourquoi cela commence à me paraître bien tard.

LE GÉNÉRAL *se méprend*
et regarde l'heure à sa montre.

Il est neuf heures. Si c'était une vraie promenade, ils auraient dû être rentrés.

LE DOCTEUR

Ce n'est pas de cela que je parlais, général.

LA BONNE *est entrée avec une lampe*
qu'elle pose sur la table.

Monsieur me dira si je dois tout de même servir. Si on attend encore, les champignons Richelieu ne seront plus des champignons Richelieu.

LE GÉNÉRAL

Foutez-moi la paix, avec vos champignons! On leur trouvera un autre nom.

LA BONNE

Et puis il y a monsieur le curé qui boit du vin doux dans l'office. Il dit qu'il attendra le temps qu'il faudra pour que Monsieur le reçoive, mais ce qu'il a à dire à Monsieur est trop important pour remettre à demain.

LE GÉNÉRAL

Faites-lui manger les champignons. L'un absorbant l'autre, cela vous fera un sujet d'inquiétude en

moins. Il m'embête, le curé! Qu'est-ce qu'il me
veut, un jour pareil?

LA BONNE

Je lui ai déjà proposé de manger. Il refuse. Il dit
que l'émotion de ce qu'il a à dire à Monsieur lui
coupe l'appétit. Par exemple, il se rattrape sur le
vin doux. Je ne sais pas s'il se sert comme ça à la
messe, mais si Monsieur tarde encore à le recevoir,
ce qu'il a à dire à Monsieur, j'ai l'impression que ce
sera plutôt confus. D'ailleurs, il parle tout seul
depuis qu'il est arrivé. Il est comme fou. Il dit que
c'est la Providence et qu'il faudra dire des messes
pour la remercier.

LE GÉNÉRAL

Pourquoi? Qu'est-ce qu'elle a encore fait, celle-
là?

LA BONNE

Il dit qu'il n'y a qu'à Monsieur qu'il peut le dire,
tellement c'est important. C'est un secret entre la
Providence et lui.

LE GÉNÉRAL

Hé bien, qu'ils attendent — tous les deux!

LA BONNE *sort, se signant et grommelant.*

Ce n'est pas une raison pour leur dire des
injures... Surtout qu'il y en a une qui a les moyens
de se venger.

LE GÉNÉRAL

J'ai l'impression que c'est déjà fait. *(Il confie au
docteur, la bonne disparue :)* Mon ami, ma raison
vacille. Je ne peux pas l'avoir perdue aussi bête-

ment au bout de dix-sept ans comme on perd son chien dans la rue, dans un moment d'inattention. Elle m'attendait, elle m'attendait toujours, et c'était la preuve dans ma misère qu'un jour je pourrais m'en sortir. Elle perdue, il n'y a plus rien, docteur, qu'un vieux polichinelle ridicule qui n'a été au bout d'aucun de ses gestes... Il me semble que le lieutenant Saint-Pé est étendu exsangue sur un champ de bataille, et même pas blessé au combat — le fusil d'un imbécile qui lui a éclaté dans les reins, quelques minutes avant l'attaque — mais qu'il va tout de même mourir. Ah! si je l'ai perdue, docteur...

LE DOCTEUR, *qui regardait dehors.*

Non. Vous ne l'avez pas perdue, général. La voilà, avec son ravisseur, et toute rose de l'air du soir.

Le secrétaire, rouge tomate, et Ghislaine, les yeux baissés, sont apparus en effet sur le seuil.

LE GÉNÉRAL *se précipite, soulagé.*

Ghislaine!... Cette promenade inexplicable, je mourais de peur. Allez-vous me dire, enfin?...

MADEMOISELLE DE SAINTE-EUVERTE,
un peu solennelle, comme toujours.

Mon ami. Pouvez-vous demander au docteur de nous laisser seuls un instant? Laissez-nous aussi, Gaston.

LE SECRÉTAIRE, *très assuré et assez sombre.*

Soit. Mais un instant seulement!

Il passe, toisant le général qui le regarde faire, n'y comprenant rien.

LE GÉNÉRAL

Un instant seulement? Un instant seulement? Qu'est-ce qu'il lui prend, à cet animal-là? Il n'a jamais osé parler à personne sur ce ton.

LE DOCTEUR, *avant de sortir, au général.*

Courage, lieutenant Saint-Pé! J'ai l'impression que c'est votre dernier combat.

LE GÉNÉRAL *grommelle.*

Avec l'Arabe, c'était simple. Je savais ce qu'il voulait et moi aussi. *(Le docteur et le secrétaire, avec un dernier regard sombre, sont enfin sortis. Le général demande timidement :)* Allez-vous, enfin, me dire, Ghislaine?

MADEMOISELLE DE SAINTE-EUVERTE

Oui, mon ami. Je vais vous dire. C'est d'ailleurs tout simple : j'aime ce jeune homme.

LE GÉNÉRAL

Vous plaisantez! Et ce n'est pas drôle, Ghislaine. Il y a deux heures, mille tonnerres, vous ne l'aviez jamais vu.

MADEMOISELLE DE SAINTE-EUVERTE

Vous avais-je vu, mon ami, avant le bal de Saumur? Et pourtant, à la seconde même où vous m'avez pris la taille, je me suis mise à vous aimer. Ces dix-sept ans n'avaient rien fait perdre, mais rien ajouté, non plus, à mon amour? Vous l'ai-je déjà fait cet aveu, mon ami?

LE GÉNÉRAL

Oui, mon cher amour, oui, Ghislaine, et ce don merveilleux et fou de toi-même en un instant, je l'ai toujours respecté et compris... Qu'ajoutent les serments, les années, les caresses? J'ai connu ce miracle aussi. Que l'être qu'on attendait paraisse et tout est dit. Seulement, ce n'est pas du tout la même chose.

MADEMOISELLE DE SAINTE-EUVERTE, *transparente.*

Pourquoi, mon ami?

LE GÉNÉRAL, *un peu gêné tout de même.*

Hé bien, mais, au bal de Saumur... c'était moi!

MADEMOISELLE DE SAINTE-EUVERTE, *toujours douce.*

Hé bien, mon ami?

LE GÉNÉRAL

Hé bien, mais, sacrebleu! ce n'est pas à moi de vous le dire. J'étais brillant; j'étais spirituel; j'étais jeune — je vous désirais follement! — et cela compte aussi. Mais lui!

MADEMOISELLE DE SAINTE-EUVERTE

Il est effacé (il l'était), un peu naïf peut-être — mais, mon ami, comment vous dire à mon tour? Pour une femme, ce sont des qualités contraires, mais également charmantes — nous aimons tout. C'est comme de choisir, un jour d'essayage, chez la couturière, entre un tissu rose et un tissu vert. J'ajoute qu'il est jeune, plus que vous encore à Saumur et qu'il me désire lui aussi.

LE GÉNÉRAL *pouffe.*

Lui? Ce rien du tout? Ce puceau? Ce Jean de la lune?

MADEMOISELLE DE SAINTE-EUVERTE

Je vous défends de l'insulter, Léon!

LE GÉNÉRAL, *hors de lui.*

Je vais me gêner! Il vous désire? Vous allez me
faire croire qu'en vous voyant son sang de navet n'a
fait qu'un tour? Laissez-moi rire. Il fait sous lui de
peur quand il voit un jupon. Vous n'y connaissez
rien, Ghislaine. Pardonnez-moi, c'est un peu ma
faute. Ce long respect où je vous ai tenue, en
attendant que ma situation s'éclaircisse, n'a pas pu
faire une vraie femme de vous. Vous êtes tendre,
romanesque, exacerbée peut-être, par cette attente
de l'amour. Le désarroi d'un blanc-bec qui n'a
jamais approché une femme, ses soupirs, ses yeux
blancs vous ont peut-être touchée. Bagatelles! Nous
en rirons ensemble plus tard, vous verrez... quand
vous serez devenue une vraie femme.

MADEMOISELLE DE SAINTE-EUVERTE, *angélique.*

Je crois que vous ne me comprenez pas, mon
ami.

LE GÉNÉRAL

Mais si, mon tendre amour, je ne comprends que
trop bien. Dites-moi qu'il était transi, qu'il s'est
mis à vos genoux, comme tous ces gamins-là le font
encore, qu'il vous a récité des vers peut-être —
mais ne me dites pas qu'il vous désire, Ghislaine,
c'est grotesque!

MADEMOISELLE DE SAINTE-EUVERTE, *de plus en plus
transparente.*

Mais il me l'a prouvé, mon ami.

8

LE GÉNÉRAL

Allons donc! Comment? Comment vous l'aurait-il prouvé? Est-ce que cela se prouve en paroles, le désir, mille millions de sabords? Il ne faut pas non plus être trop bête! Cela s'exprime; cela se soupire; cela se brame, oui — suivant les circonstances et les tempéraments. On la connaît, la chanson! Tous les hommes l'ont chantée quand il s'agissait d'émouvoir une femme. Mais le désir, il n'y a qu'une façon au monde de le prouver, sacrebleu!

MADEMOISELLE DE SAINTE-EUVERTE

Mais... c'est celle-là qu'il a choisie, mon ami.

LE GÉNÉRAL *veut encore essayer pouvoir
ne pas comprendre, il ricane.*

Il vous a pris la main? Peut-être même embrassée sur les lèvres? Je ne vous comprends pas, Ghislaine. Je vous assure que, malgré toute ma bonne volonté, je me perds dans vos subtilités de jeune fille! Oublions cette histoire ridicule avec ce gamin et parlons sérieusement de nous. Cette fois, je suis résolu à brusquer les choses, quoi qu'il en coûte.

MADEMOISELLE DE SAINTE-EUVERTE

Mais, mon ami, cette histoire avec ce gamin, comme vous dites, est maintenant pour moi inoubliable. Et je ne sais de quelles subtilités de jeune fille vous voulez parler. Je suis sa femme.

LE GÉNÉRAL *tente un dernier espoir.*

Allons donc! Quelle enfant vous faites, Ghislaine... Des serments échangés dans un moment d'exaltation sur le bord de l'étang, peut-être; des anneaux faits de roseaux légers et qu'on se passe au doigt en attendant les vrais qui ne viennent jamais? Fariboles d'adolescents! Nous avons tous connu cela. Qu'un vrai homme, digne de ce nom, vous prenne ce soir dans ses bras — et ce sera ce soir, mon amour, je vous le jure — qu'un vrai homme vous fasse l'amour, morbleu! — et tout ne sera plus que fumée.

MADEMOISELLE DE SAINTE-EUVERTE, *superbe.*

Tout n'est plus que fumée, en effet, mon ami! Parce qu'on m'a, enfin, fait l'amour. Et je le crie bien haut, je n'ai pas honte. Quels mots vous faut-il donc pour comprendre? Je suis à lui.

LE GÉNÉRAL *hurle.*

Il a osé, ce petit vicieux hypocrite? Cette brute! Vous prendre de force peut-être? Je le tuerai!

MADEMOISELLE DE SAINTE-EUVERTE

Mais non, mon ami, pas de force. Il m'a prise et je me suis donnée. Et je suis à lui, maintenant, pour toujours.

LE GÉNÉRAL, *terrassé,*
tend les mains vers elle, humble soudain.

Ghislaine, c'est un cauchemar. Je vous ferai oublier.

MADEMOISELLE DE SAINTE-EUVERTE *se recule.*

Ne me touchez plus désormais, Léon! Seul un autre le peut maintenant. Et vous devez savoir combien je suis fidèle.

LE GÉNÉRAL

Mais quand il vous a touchée, vous étiez endor-

mie, vous étiez tombée sur la tête, on vous avait
bourrée de gardénal. Vous ne saviez même pas qui
vous touchait : vous pensiez que c'était moi.

MADEMOISELLE DE SAINTE-EUVERTE

Les premières fois, oui. Mais après, je l'ai très
bien su. Oh! nous pourrions rester de si bons amis,
Léon, pourquoi ne pas vouloir comprendre?

LE GÉNÉRAL

Jamais. Je ne comprendrai jamais. C'est absolument impensable!

MADEMOISELLE DE SAINTE-EUVERTE

Il m'a touchée. Il m'a touchée vraiment! Et
soudain, je n'ai plus été seule, triste noyée toujours
flottante au fil de l'eau; j'ai remis le pied sur la
berge, enfin, et je ne serai plus jamais seule! A
table, à la messe, dans mon lit trop grand. Mais
vous ne comprenez donc pas que c'est une aventure
merveilleuse? Vous devriez être un peu heureux
aussi si vous m'aimiez vraiment, Léon.

LE GÉNÉRAL

Je vous aime vraiment, Ghislaine, mais...

MADEMOISELLE DE SAINTE-EUVERTE, *lumineuse.*

Alors, pourquoi ne pas partager ma joie et que
tout le monde soit content? *(Elle soupire, heureuse.)*
Je ne suis plus seule! Vous l'avez tant souhaité pour
moi, ami — vous me vouliez une compagne...

LE GÉNÉRAL

Mais, une compagne...

MADEMOISELLE DE SAINTE-EUVERTE

J'ai un compagnon, c'est bien mieux! D'ailleurs, nous nous voyions si peu, rien ou presque ne sera changé. Nous nous reverrons encore de temps en temps, comme autrefois. Il m'a dit qu'il me le permettrait. *(Elle minaude, elle a un petit rire ravi.)* Cela, bien entre nous, mon pauvre ami, j'en doute! Il est d'une jalousie terrible, savez-vous! Il dit qu'il ne me quittera pas d'une semelle. Comme c'est bon! Je n'aurai plus à m'effacer au passage des autres hommes, à m'enlaidir, à me rendre invisible toujours, mais à être belle au contraire, pour le flatter et lui faire un petit peu mal en même temps — puisqu'il sera à côté de moi et que c'est lui qui me défendra d'eux... Ah! mon ami, je suis heureuse... Je ne suis plus un chien sans collier, j'ai une petite corde au cou avec le nom du propriétaire. Et vous semblez tout étonné de mon bonheur? Mais alors, c'est que vous ne connaissez pas les femmes, mon ami. Lui, les connaît.

LE GÉNÉRAL *appelle, soudain perdu.*

Lieutenant Saint-Pé! Lieutenant Saint-Pé! A moi! Qu'est-ce qui se passe?

MADEMOISELLE DE SAINTE-EUVERTE, *qui continue sans rien entendre.*

Et vous dites qu'il n'a pas d'esprit? Avec les hommes, peut-être, avec vous, mais qu'est-ce que vous voulez que cela me fasse? Il m'a dit les plus jolies choses du monde, à moi. Il m'a dit qu'il fallait nager vers l'idéal côte à côte comme vers une bouée de sauvetage et qu'on ne nageait bien qu'à deux...

LE GÉNÉRAL

Je m'en serais douté! Vous a-t-il dit aussi que la vie n'était qu'un déjeuner de famille avec des ronds de serviette, des fourchettes de tailles différentes et une sonnette à pied?

MADEMOISELLE DE SAINTE-EUVERTE

Qu'insinuez-vous, mauvaise langue? Il ne dit que des choses poétiques. Il dit que la vie n'est qu'une fête et un bal...

LE GÉNÉRAL, *avec un cri de douleur malgré lui.*

Un bal!

MADEMOISELLE DE SAINTE-EUVERTE,
sans comprendre.

Mais oui, n'est-ce pas joli comme idée? Un bal d'une nuit et qu'il faut faire vite avant que les lampions soient éteints. Je l'aimais au premier instant, je vous l'ai dit, mais, ma pudeur de jeune fille et puis j'avais tellement l'habitude de croire que l'amour n'était qu'une attente, quand il m'a demandé d'être à lui, j'ai voulu lui dire : « Plus tard! Demain! » Vous savez ce qu'il m'a répondu?

LE GÉNÉRAL, *étranglé.*

Non.

MADEMOISELLE DE SAINTE-EUVERTE, *triomphante.*

Il m'a répondu : « Tout de suite! » *(Elle répète, extasiée.)* Tout de suite, le chéri! Il n'y a vraiment que lui pour trouver cela! Tout de suite! C'est merveilleux! Je ne savais pas qu'on pouvait avoir quelque chose tout de suite! Et vous savez ce qu'il a ajouté à mon oreille pendant qu'il me tenait dans ses bras?

LE GÉNÉRAL, *qui est devenu tout d'un coup*
un vieux monsieur humble, en face d'elle rajeunie.

Non. Je ne sais rien, moi, aujourd'hui. J'apprends tout.

MADEMOISELLE DE SAINTE-EUVERTE *s'arrête,*
soudain confuse et charmante, sous son léger ridicule.

Non! Cela non! Non, tout de même. Je ne peux
pas vous le dire. J'aurais peur de vous faire de la
peine, mon ami.

LE GÉNÉRAL

Merci. Il est bien temps.

LE SECRÉTAIRE *paraît, déjà soupçonneux,*
et en tout cas intransigeant.

L'instant est écoulé, Ghislaine! Et il me semble
même, dépassé.

MADEMOISELLE DE SAINTE-EUVERTE, *confuse.*

Pardon, Gaston.

LE GÉNÉRAL *fonce sur lui.*

Pardon, Gaston! Ah! Vous voilà, vous, don
Juan! Lovelace! Propre à rien! Jolis tourtereaux!
Non, mais, regardez-les. Vous me faites rire... Pour
qui me prenez-vous tous les deux, sac à papier! Je
vais vous apprendre à qui vous avez affaire. *(Au*
docteur qui est aussi sur le seuil.) Entrez, docteur,
entrez, vous n'êtes pas de trop. Vous savez ce qu'ils
viennent de m'apprendre ces deux chérubins, la
bouche en cœur? Qu'ils s'aiment. Oui, monsieur,
depuis deux heures. Et ils n'ont pas perdu leur
temps. Il y en a qui y mettent des scrupules; il y en
a qui attendent quelque temps; pas eux! Dans les

bois. N'importe comment. Comme des bêtes! J'en ai honte moi-même. Et ils voudraient que je leur donne ma bénédiction par-dessus le marché? Mais ils ont donc perdu tout sens moral, tout sens critique?

LE DOCTEUR, *doucement*.

Lieutenant Saint-Pé.

LE GÉNÉRAL *tonne.*

Général! Je vous prie de me donner mon grade! Ils vont voir qui je suis, saperlotte! et de quel bois je me chauffe! Je vais aller mettre mon uniforme et toutes mes décorations. Non, d'ailleurs, ce serait trop long. Je vais leur parler comme je suis, en rasepet et en souliers de repos. Ah! vous séduisez les jeunes filles! Ah! vous subtilisez la femme des autres, monsieur! Ah! vous voulez faire le coq! Eh bien! quand on en a, mon lascar, il faut les montrer, et autre part qu'avec les dames. Et c'est quelquefois moins rigolo. Mais la virilité, cela ne se détaille pas, je regrette. Qu'on aille me chercher deux sabres. Ces deux-là, à la panoplie! *(Il monte sur une chaise pour les décrocher.)* Et pas besoin de témoins, le docteur est là, avec sa trousse.

MADEMOISELLE DE SAINTE-EUVERTE

Oh! mon Dieu, il veut du sang. Je sens qu'il veut du sang, maintenant. C'est un cannibale!

LE DOCTEUR

Général, vous n'allez pas recommencer...

LE GÉNÉRAL, *debout sur sa chaise,*
décrochant ses sabres.

Taisez-vous, vous aussi, monsieur! Je n'ai pas

tout à fait oublié cette histoire de lettres; ne m'en faites pas souvenir.

MADEMOISELLE DE SAINTE-EUVERTE *lui tient les jambes.*

Léon! Je l'aime. Et si vous m'aimez, comme vous le dites, vous ne lui ferez pas de mal!

LE GÉNÉRAL

Foutre si! Je lui couperai les oreilles, madame. Je le tuerai. Parce que je vous aime, précisément. Moi aussi je vais vous l'apprendre, la psychologie amoureuse. Ma parole! parce qu'ils se sont frotté le museau, ils se figurent qu'ils ont tout inventé, ces deux-là, depuis ce matin!

LE DOCTEUR

Général, descendez de votre chaise!

LE SECRÉTAIRE, *très noble.*

Bien que n'ayant jamais tenu un sabre, si le général l'exige, je me battrai.

MADEMOISELLE DE SAINTE-EUVERTE *a un cri.*

Gaston! Pas vous! Pas vous! Laissez-le se battre tout seul!

LE DOCTEUR

Général, ce serait un assassinat. C'est un enfant.

LE GÉNÉRAL, *qui se débat toujours avec sa panoplie.*

Il n'y a plus d'enfants! C'est connu depuis longtemps. Et puis, les enfants ne vous prennent pas vos femmes. Il faut choisir : si c'est un enfant, qu'il nous laisse tranquilles et qu'il joue au cerceau.

S'il veut autre chose, saperlotte! qu'il en subisse les inconvénients. *(Il crie.)* Cré nom de nom de bon Dieu de bois, quel est le manche à balai qui a accroché ces sabres? Il n'y a pas moyen de les décrocher de là! *(Il appelle machinalement.)* Gaston!

LE SECRÉTAIRE *accourt.*

Oui, mon général.

LE GÉNÉRAL

Venez m'aider, mon garçon.

LE SECRÉTAIRE, *empressé.*

Oui, mon général.

> *Il monte sur une chaise, le général le voit à côté de lui.*

LE GÉNÉRAL

Qu'est-ce que vous foutez là, monsieur? Ma parole, il se prend pour mon secrétaire! Descendez. Docteur, venez, vous!

LE DOCTEUR

Non, général, je ne me ferai pas le complice de cette tragique bouffonnerie. Vous n'avez pas le droit de provoquer ce gamin.

LE GÉNÉRAL

S'est-il trouvé assez grand, oui ou non, pour me prendre la femme que j'aimais?

MADEMOISELLE DE SAINTE-EUVERTE

Mais vous ne la preniez jamais!

LE GÉNÉRAL

J'y mettais des formes, moi! Et, d'ailleurs, j'allais le faire. *(Il se ravise soudain et se met à sourire, se frottant les mains.)* Et puis je suis bien bête... C'est tellement plus simple. C'est un enfant, c'est vrai. Je n'y pensais plus. *(Il demande, paterne, du haut de sa chaise.)* Quel âge avez-vous au juste, mon garçon?

LE SECRÉTAIRE

Vingt ans aux fraises, mon général. Le 23 mai.

LE GÉNÉRAL

Vingt ans aux fraises, c'est admirable! Pour vous marier donc, si je ne me trompe, il vous faut le consentement de vos parents?

LE SECRÉTAIRE

Pourquoi rappeler devant elle les douloureuses circonstances qui ont marqué ma venue au monde, monsieur? Je n'ai plus de parents, vous le savez bien. Je suis un enfant abandonné.

LE GÉNÉRAL *descend.*

C'est juste. Mais vous avez un tuteur tout de même? Un vénérable ecclésiastique, le chanoine Lambert, si je ne me trompe. Nous allons voir si le chanoine Lambert consentira au mariage quand je lui aurai fait savoir ce que j'ai à lui faire savoir. *(Il va crier au fond.)* Le curé, Eugénie! Le curé tout de suite!... Qu'on me fasse venir immédiatement le curé! C'est vrai que c'est la Providence qui l'envoie pour une fois, celui-là! *(Il revient vers les autres.)* Ah! on veut jouer aux corsaires! Ah! on veut bousculer les quilles dans le jeu! Il y a des lois, tout de même, monsieur, pour garder l'honneur des familles. Je vous fous mon billet que le chanoine Lambert ne vous autorisera jamais à épouser une aventurière!

MADEMOISELLE DE SAINTE-EUVERTE

Oh! Léon! Vous! C'est indigne!

LE GÉNÉRAL

Je sais ce que je dis. Quand on est capable de céder à un homme... Que dis-je? A deux hommes. Car, au bal de Saumur, au bout d'une seule valse, vous croyez que c'était convenable, ce baiser?

MADEMOISELLE DE SAINTE-EUVERTE

Gaston! Sa mauvaise foi me fait peur, maintenant. Je sens qu'il va réussir à nous perdre. Tant pis, je vous attendrai. Dix-sept ans!

LE SECRÉTAIRE

C'est inutile, mon amour. Dans un an, aux fraises prochaines, quoi qu'il fasse, je serai majeur.

LE GÉNÉRAL *ricane, ignoble.*

Un an. Douze mois. Trois cent soixante-cinq jours. Je ne sais combien d'heures à attendre! Comptez là-dessus, mon ami, et buvez de l'eau. Il ne lui a pas fallu deux heures ce matin. Elle aura douze amants dans un an! *(Le curé paraît, le général va vers lui.)* Monsieur le curé!

LE CURÉ

Mon général, enfin!

LE GÉNÉRAL

Enfin! J'allais vous le dire. *(Ils parlent tous les*

deux en même temps.) Une affaire de la plus haute
importance...

LE CURÉ

Une révélation du plus haut intérêt...

LE GÉNÉRAL

L'honneur et le repos des familles! Une fermeté
vigilante...

LE CURÉ

La joie et la sanctification du foyer! Un devoir
sacré...

Ils s'arrêtent tous deux.

LE GÉNÉRAL

Après vous.

LE CURÉ

Après vous. Non, d'ailleurs. Moi d'abord, c'est
trop grave! Mon général, puis-je parler devant tout
le monde?

LE GÉNÉRAL

Si vous voulez, mais faites vite. Je suis pressé.

LE CURÉ

D'ailleurs, je vois bien qu'il n'y a là que des
amis. Des amis bientôt tendrement émus, comme
moi...

LE SECRÉTAIRE

Si je suis de trop, mon général, je peux sortir.

LE CURÉ, *mystérieux.*

Non, mon fils, vous n'êtes pas de trop. Au

contraire! Mon général, c'est avec émotion que je
vois ici la main de la Providence...

LE GÉNÉRAL

Pas de préambules! Au fait, monsieur le curé, au
fait. Je vous ai dit que j'étais pressé. J'ai à vous
parler de ce gaillard.

LE CURÉ

Moi aussi. Quand je vous ai amené Gaston pour
cet office de secrétaire — Gaston, à moi confié par
mon vénérable ami le chanoine Lambert, je ne me
doutais certes pas...

LE GÉNÉRAL, *impatienté.*

Au fait, monsieur le curé, vous dis-je, au fait! Je
suis un vieux militaire. En deux mots.

LE CURÉ

Le Ciel a pourtant voulu dans son infinie
mansuétude et la délicatesse ravissante de sa
grâce...

LE GÉNÉRAL

En deux mots, sacrebleu, vous dis-je! Pas un de
plus, ou c'est moi qui parle!

LE CURÉ

Soit. Vous l'aurez voulu, mon général, mais cela
va être un peu brutal. *(Il dit simplement :)* Montauban, Léa.

LE GÉNÉRAL

Quoi? Mautauban. Léa. Qu'est-ce que c'est que
ça : Montauban. Léa. Une adresse?

LE CURÉ

Vous voyez comme c'est difficile en deux mots.
Permettez-moi d'étoffer un peu. Il y avait en 1890,
à Montauban, où le huitième dragons faisait sa
remonte, une jeune couturière nommée Léa.

LE GÉNÉRAL *cherche un peu,*
le nom lui dit quelque chose.

Léa? Léa... Nom d'une pipe! Léa! Et alors, Léa?
Vous ne savez pas ce que c'est que la vie de
garnison, monsieur le curé. Je pourrais vous réciter
tout un calendrier, moi, comme ça.

LE CURÉ

Il y avait aussi un fringant capitaine. Fringant,
hélas! mais bien léger; bien peu soucieux de
l'honneur des jeunes personnes. Ce capitaine,
pendant tout le temps que dura la remonte, fit
croire à la jeune Léa qu'il l'aimait. Peut-être
l'aimait-il, d'ailleurs!

LE GÉNÉRAL

Ah, mon ami!... Mais, certes, oui!... Léa!...
C'était une fille ravissante, docteur. Une brune
capiteuse avec des yeux où l'on se perdait. Réser-
vée, presque prude même, et au lit, le soir, oh! mon
ami!... *(Il a pris le bras du curé par inadvertance.)* Je
vous demande pardon, monsieur le curé. J'ai été, en
effet, une brute à la fin de la remonte. Mais le
devoir m'appelait... à Tarbes! Et puis il y a si
longtemps! Votre temps qui passe, docteur, cela
use, j'y consens, mais tout de même aussi, cela lave.
Je suis lavé. Vous avez eu des nouvelles de cette
jeune fille, monsieur le curé?

LE CURÉ

D'abord, ce n'était plus tout à fait une jeune fille, mon général, depuis le temps, et elle vient de rendre l'âme — après un très honorable mariage — déliant par sa mort le chanoine Lambert de son secret.

LE GÉNÉRAL

C'est vrai. Vingt ans déjà!

LE CURÉ

Vingt ans! l'âge exact de ce jeune homme, moins neuf mois.

LE GÉNÉRAL *sursaute.*

Comment?

LE CURÉ

Un enfant naquit, vous ne l'avez pas su, de cette union fugitive et coupable. Un enfant confié au chanoine Lambert qui me le confia à moi-même. Embrassez votre père, Gaston!

LE GÉNÉRAL

Sacrebleu!

LE SECRÉTAIRE *se jette, sanglotant d'émotion, dans ses bras.*

Papa! Mon cher petit papa!

LE GÉNÉRAL

Hé bien, celle-là, elle est raide! Ne m'étouffez pas, animal! Ce n'est pas une raison parce qu'on vous dit que je suis votre père... Et c'est un géant, en plus!

LE DOCTEUR

Général, on croit planter une carotte, et vous voyez, il pousse un chêne.

MADEMOISELLE DE SAINTE-EUVERTE, *ravie.*

Mais alors, tout devient simple, Léon! C'est donc vous que je n'ai pas cessé d'aimer. Je suis une femme fidèle! C'est vous. C'est vous, Léon! Et jeune, et libre. C'est vous encore plus beau que vous! Je me disais bien aussi que ses mains me rappelaient quelque chose...

LE GÉNÉRAL

N'insistez pas, c'est inconvenant. *(Au docteur.)* Elle est bien bonne!

MADEMOISELLE DE SAINTE-EUVERTE

Comment?

LE GÉNÉRAL

N'insistez pas, madame! Je ne veux pas que mon fils épouse n'importe qui. Je prendrai mes renseignements.

MADEMOISELLE DE SAINTE-EUVERTE

Léon! Mon ami! Depuis si longtemps que vous savez que...

LE SECRÉTAIRE

Papa! mon cher petit papa! C'est si bon d'avoir un père!...

LE CURÉ

Général! quand la Providence elle-même s'est donné la peine.

LE DOCTEUR, *le dernier, doucement.*

Lieutenant Saint-Pé.

LE GÉNÉRAL

C'est bon. Mon rôle est de plus en plus ridicule. J'abandonne. Qu'ils se marient, tonnerre de Brest, et qu'on ne me parle jamais plus de rien *(Entrent les deux filles, toutes mouillées et pleurant sous des couvertures.)* Allons, qu'est-ce que c'est encore? Cette comédie ne finira donc jamais?

ESTELLE

Nous nous sommes vraiment jetées à l'eau, papa, et nous avons nagé jusqu'au milieu de l'étang...

SIDONIE

Jusqu'à ce que nous n'ayons plus de forces...

LE GÉNÉRAL

Et alors?

ESTELLE

Nous sommes revenues.

LE GÉNÉRAL

Vous avez bien fait. On a toujours une autre occasion de mourir. C'était votre frère, imbéciles! Vous voyez que ce n'était pas le peine de vous noyer!

ESTELLE et SIDONIE

Notre frère?

LE GÉNÉRAL

Oui, je viens de l'apprendre à l'instant.

LE SECRÉTAIRE, *un peu confus.*

Cela simplifie tout, mesdemoiselles. Maintenant, je peux vous aimer toutes les deux.

MADEMOISELLE DE SAINTE-EUVERTE, *jalouse.*

Gaston, je vous défends! *(Elle minaude, ravie, aux autres.)* Il est terrible! quel homme!

SIDONIE

Notre frère? Mais, papa, comment cela se fait-il?

ESTELLE

Pourquoi maman n'était-elle pas au courant?

LE GÉNÉRAL

Je n'ai pas le temps de vous l'expliquer. Demandez à monsieur le curé. C'est lui qui a fait le coup avec la Providence. Il vous expliquera tout cela un soir aux Enfants de Marie.

ESTELLE

Mais alors, s'il épouse mademoiselle, papa, on va se faire faire des robes pour le mariage?

LE GÉNÉRAL, *amer.*

Naturellement.

ESTELLE

Moi je veux être en bleu canard!

SIDONIE

Moi en jaune!

LE GÉNÉRAL

Comme vous voudrez. Tout vous va. Filez chez

Mᵐᵉ Dupont-Fredaine — et qu'elle vienne me trouver pour le prix!

LE CURÉ

Un instant, mes enfants, un instant. Il me semble que la Providence nous a assez montré aujourd'hui que sa bonté s'étend sur nous. La chapelle paroissiale est toute proche : que diriez-vous d'une petite prière, tous ensemble, pour La remercier? Vous vous joignez à nous, mon général? Une fois n'est pas coutume... D'ailleurs, je suis sûr qu'au fond vous croyez en Elle?

LE GÉNÉRAL

Il faut bien, maintenant qu'Elle se met à s'occuper de moi! Mais vraiment, aujourd'hui, je ne la remercierais pas de bon cœur. Demain, monsieur le curé, demain...

> *Tous sont sortis avec le curé. Le général reste seul avec le docteur, il murmure :*

Quelle farce! C'est lugubre...

LE DOCTEUR

Oui, général. Le soir tombe. Il faut sonner l'extinction des feux. *(Il chante un peu faux.)* Tra, la la, la la la la, la la la la...

LE GÉNÉRAL *sursaute.*

Foutez-moi la paix! Pour qui me prenez-vous? C'est la sonnerie de l'infanterie.

LE DOCTEUR, *pour dire quelque chose.*

Je vous demande pardon. Comment est-ce au juste, dans la cavalerie?

LE GÉNÉRAL *commence d'une voix éraillée.*

Tra, la la, la... *(Il s'arrête.)* Brou! Je n'ai pas le courage. C'est trop bête. *(Il rit doucement :)* Lieutenant Saint-Pé. Je veux vivre, moi, je veux aimer, je veux donner mon cœur, sacrebleu!

LE DOCTEUR

Général, personne n'en veut plus. Laissez se dégonfler cette vieille éponge trop tendre. Il fallait moins tirer de carottes et avoir le courage de faire mal quand il en était encore temps... La vie se mène comme une charge, général. On aurait dû vous dire cela à Saumur. Pauvre ami, voulez-vous que je vous dise la moralité de cette histoire? Il ne faut jamais comprendre son ennemi — ni sa femme... Il ne faut jamais comprendre personne, d'ailleurs, ou on en meurt. Allons, je vais retrouver Mme Bonfant et ses scènes. Je crois que vous serez aussi bien tout seul, général *(Il lui tape gentiment sur l'épaule.)* A bientôt.

LE GÉNÉRAL, *sans bouger.*

A bientôt.

Un silence, puis la générale crie soudain à côté.

LA VOIX DE LA GÉNÉRALE

Léon!

LE GÉNÉRAL

Oui.

LA VOIX

Tu es là?

LE GÉNÉRAL

Oui.

LA VOIX

Bon. Je dors un peu. Ne fais rien pendant ce temps-là.

LE GÉNÉRAL

Non. *(Il a un frisson de dégoût; il se dresse au garde-à-vous, il crie soudain :)* Lieutenant Saint-Pé! Sorti second de Saumur. En joue! A mon commandement! Feu!

Il reste sans bouger. Une ombre apparaît sur la terrasse, c'est la nouvelle bonne.

LA NOUVELLE BONNE

Monsieur a appelé?

LE GÉNÉRAL *sursaute.*

Hein? Quoi? Non, je n'ai pas appelé. Qui êtes-vous?

LA NOUVELLE BONNE

La nouvelle, monsieur. La nouvelle femme de chambre que Monsieur a engagée...

LE GÉNÉRAL *la regarde, encore un peu égaré, puis soudain, il lisse ses moustaches.*

Ah! mais oui, saperlotte!... Mais oui, bien sûr. Où avais-je la tête? *(Il s'approche.)* Comment vous appelez-vous, mon enfant?

LA NOUVELLE BONNE

Paméla, monsieur.

LE GÉNÉRAL

Paméla. Voyez-moi cela. Paméla! Et la plus jolie poitrine du monde... Qu'est-ce qu'ils racontent, tous, qu'on a une âme! Vous y croyez, vous? C'est un imbécile, le docteur. (*Il va à elle; il lui parle doucement.*) Posez donc votre balai, mon enfant. Il est bien tard pour balayer et il n'y a jamais assez de poussière sur les choses. Il faut la laisser... (*Il l'a amenée par la main au milieu de la scène.*) Vous savez, ici, la place est douce. Je suis un vieux petit garçon sans grandes exigences... Vous ne connaissez pas mes roses? Venez, je vais vous faire faire un tour de jardin et, si vous êtes sage, je vous en donnerai une... Comme à une vraie dame, sacrebleu! (*Il l'entraîne vers le jardin. Il demande timidement :*) Cela ne vous ennuie pas trop que je vous prenne la taille, Paméla?

LA NOUVELLE BONNE *minaude.*

Non, monsieur... Mais que dira Madame?

LE GÉNÉRAL

Madame ne dira rien si vous ne le lui dites pas. A la bonne heure... On est mieux comme ça. Ce n'est pas que cela veuille dire grand-chose, mais tout de même, on se sent moins seul, dans le noir...

> *Ils ont disparu, couple dérisoire, dans la nuit du jardin.*
> *On entend vaguement la sonnerie de l'extinction des feux — de cavalerie cette fois — jouée par une trompette lointaine dans une des casernes de la ville — et le rideau tombe.*

FIN DE « LA VALSE DES TORÉADORS »

*

PIÈCES BRILLANTES.
PIÈCES COSTUMÉES.
PIÈCES GRINÇANTES.
NOUVELLES PIÈCES GRINÇANTES.
PIÈCES NOIRES.
NOUVELLES PIÈCES NOIRES.
PIÈCES ROSES.
PIÈCES BAROQUES.
PIÈCES SECRÈTES.

Impression Bussière à Saint-Amand (Cher),
le 20 mars 1987.
Dépôt légal : mars 1987.
1er dépôt légal dans la collection : septembre 1978.
Numéro d'imprimeur : 788.
ISBN 2-07-037057-7 /Imprimé en France

40415